Appelez-moi Lorca Horowitz

La Vraie Parisienne, *J'ai Lu, 2015*
Trois jours à Oran, *Stock, 2014, J'ai Lu, 2015*
Nation Pigalle, *Stock, 2011, J'ai Lu, 2014*
Le Prisonnier, *Stock, 2009, J'ai Lu, 2010*
Pour les siècles des siècles, *Stock, 2008, J'ai Lu, 2009*
Marilyn Monroe, *Folio biographies, 2007*
Manolete, le calife foudroyé, *Ramsay, 2005, et Ramsay poche, 2007 (prix de la Biographie de la ville d'Hossegor 2006); Au Diable Vauvert, 2010*
Seule au rendez-vous, *Robert Laffont, 2005 (prix du Récit biographique 2005)*
Un coup de corne fut mon premier baiser, *Ramsay, 1998*

Anne Plantagenet

Appelez-moi Lorca Horowitz

roman

Stock

Couverture Atelier Didier Thimonier
Photo : © D.R.

ISBN 978-2-234-07621-1

Bien que son rôle auprès du roi ait principalement consisté à être portraitiste, Velázquez aborda à de nombreuses reprises la fable sacrée ou profane. Dans un cas comme dans l'autre, il choisit d'ancrer sa représentation dans le réel ou, plus exactement, dans le concret, entretenant un mystère qui laisse parfois croire à un portrait caché derrière le modèle. De qui sainte Rufine prend-elle les traits ? Démocrite est-il un bouffon de la Cour ? Quelle est l'énigmatique identité qui se dissimule derrière le visage trouble de Vénus dans le miroir ?

Velázquez, Grand Palais, Paris,
25 mars-13 juillet 2015

La première fois que j'ai entendu parler de Lorca Horowitz, c'était en mars 2013. Il y avait eu un article dans *Elle*, une page info intitulée « Une secrétaire trop particulière », qu'illustraient trois photos en couleur, avec les légendes suivantes : *le cabinet d'architectes, l'étrange secrétaire* et *le couple spolié.* C'est le seul journal en France qui a évoqué cette affaire et je n'ai pas su à cet instant ce qui, précisément, a attiré mon attention, le nom de l'accusée, l'acte qu'elle avait commis, les trois photos, peut-être une seule d'entre elles, la dernière phrase de l'article, ou simplement le fait que cette histoire s'était déroulée en Andalousie, où j'avais vécu, aimé et même eu un enfant douze ans plus tôt. Le fait que de mon existence d'alors, à part mon fils, il ne me restait rien, la femme que j'avais été à Séville m'était devenue incompréhensible, impossible à traduire, et c'était vertigineux.

J'animais désormais un atelier d'écriture à Sciences-Po Paris autour du fait divers en littérature. Cela pouvait aussi constituer une raison légitime de m'intéresser au « caso Lorca Horowitz », que je n'ai eu aucun mal à retrouver sur Internet dans l'ensemble de la presse espagnole des derniers mois, où j'ai découvert qu'il avait occupé la première place pendant des semaines. Il y avait bien sûr plus de détails, d'images, que dans la page de l'hebdomadaire français, sans compter les interviews de témoins, déclarations de victimes et tentatives d'explications de psychiatres décortiquant le passé de l'étrange secrétaire. Souvent les informations se recoupaient, reprises telles quelles d'un journal à l'autre, mais je me suis vite aperçue qu'elles se contredisaient aussi, et il m'a fallu quelques jours pour me familiariser avec les faits et les protagonistes, établir une hiérarchie entre eux, même s'il était évident que le mystère, l'élément incontrôlable et donc pour moi fascinant de cette affaire c'était elle, la fameuse Lorca Horowitz, dont je scrutais les photos des heures durant sans pour autant, à ce stade, cerner le motif de ma curiosité.

Cependant, comme je tentais de le démontrer à mes étudiants séance après séance, m'appuyant sur Mailer, Capote, Genet ou Carrère, que j'avais mis au programme, j'étais intimement convaincue que ce n'est pas l'auteur qui choisit le fait divers, mais le fait divers qui désigne l'auteur, arrive jusqu'à lui et vient le débusquer dans ses retranchements les plus solides, l'interpeller un jour où il ne s'y attend pas, pour une cause extrêmement impérieuse, qu'il ne peut identifier sur le moment mais qui constitue le déclenchement de sa quête et la réactivation de son désir. Écrire, c'est alors tenter de suivre les traces de sa propre énigme, révélée par le crime d'un ou d'une autre. À mon niveau, c'était peut-être ce qui m'arrivait. Voilà pourquoi, en mars 2013, je suis partie à la recherche de Lorca Horowitz.

— Vous avez de la chance, ma petite Lorca, avec nous vous connaîtrez un nouveau départ, apprendrez tout de ce métier qui, d'ici quelque temps, n'aura plus aucun secret pour vous.

Je détourne pudiquement les yeux vers les azulejos du mur, le sol carrelé, le bureau en bois. C'est du Felipe IV, m'a expliqué d'emblée Rocío Perales, comme ça, sans préambule. Elle se doutait bien qu'on ne m'a jamais appris ce genre de choses, question décoration d'intérieur j'ai encore du chemin à faire, j'ignorais même jusqu'à maintenant que les meubles pouvaient avoir un nom. C'est le cas. À l'agence, c'est Felipe IV. Chez eux en revanche les Perales préfèrent Carlos IV, a-t-elle ajouté aussitôt, et elle s'est excusée, ils n'ont jamais réussi à choisir entre les Habsbourg et les Bourbons, gloussement de gorge charmant. Je n'ai pas trouvé les mots. Elle ne doit pas être facile tous les jours la vie des Perales, c'est chic de la part de doña Rocío de m'avouer tout de suite cette faiblesse qu'ils ont, cette absence de logique, sans attendre, dès notre première rencontre, dès l'entretien d'embauche, de jouer franc jeu avec moi. Je suis paralysée par l'émotion.

– On va prendre soin de vous, vous ne pouviez pas mieux tomber, tout le monde a droit à une deuxième chance, je crois beaucoup à cela et Eduardo a l'habitude de dire... Comment dit-il déjà ? Il y a les clubs de foot qui achètent des joueurs très chers et ceux qui préfèrent les former, nous sommes un club formateur, enfin c'est une image qu'Eduardo aime bien. Les hommes..., vous savez, vous comprenez, ma petite Lorca ?

Elle est vraiment belle, Rocío Perales, il faut dire la vérité. Je n'en avais jamais vu avant des femmes comme elle, de la tête aux chaussures, perchée sur des escarpins divins et si serrés qu'ils doivent lui faire un mal de chien et finiront par lui déformer les pieds, avec urgence podologue et semelles orthopédiques obligatoires, si elle continue ainsi et ne privilégie pas le confort. Je dis ça, c'est pour son bien. Pour l'heure elle a choisi d'être somptueuse et me couvre de regards bienveillants, maternels. La chance, c'est exactement ce que j'ai toujours eu dans ma vie, señora, et en grande quantité, vous ne pouvez pas imaginer, si je vous le racontais vous ne me croiriez pas. J'ai envie de me précipiter dans ses bras. Mais ce ne sont pas des choses qui se font. Je dois me contenir, prendre exemple sur les mouvements et la subtilité du corps de Rocío Perales. Tout est travaillé chez elle, même la spontanéité, sa personne entière est une savante composition. Elle plisse les paupières dans un élan de bonté qui la dépasse, la première étonnée d'être si altruiste, ce qu'elle se reproche aussitôt avec un mouvement de dénégation du menton, très discret mais que je repère tout de suite comme une barrière invisible entre nous, qui signifie nous ne sommes pas du même monde, ma petite Lorca, et ne le serons jamais, en dépit des apparences que nous nous efforçons de tenir, de la bonne conscience qui la ronge mais qu'elle réfute, tant elle s'enivre de l'image qu'elle a de soi. Eduardo, le tendre Époux, le mari idéal. Eduardo et Rocío Perales, le couple modèle. Elle est admirable, elle est magnifique, en quelques minutes je l'adore déjà, je ne veux plus la quitter, jamais. Comment disait déjà ce poème qu'il avait fallu apprendre à l'école en l'honneur de nos mères chéries ? Du fond de mon cœur jusqu'au bout de ma vie. J'ai toujours été très sentimentale. Je suis sûre qu'elle va me faire le coup de l'égalité.

– Ici, nous sommes comme une grande famille.

Qu'est-ce que je disais. Je plonge davantage la tête dans les azulejos, entre deux motifs géométriques hispano-mauresques, humilité absolue, se jeter à ses pieds pour baiser ses escarpins grandioses. Des objets de torture. Si je portais des talons pareils, je me casserais une cheville. Doña Rocío souffre pour nous offrir tous les jours cette vision impeccablement inouïe d'elle-même. Oui señora Perales, merci señora Perales.

– Non, Lorca, s'il vous plaît, nous étions d'accord, pas de señora, Rocío, appelez-moi Rocío.

Elle se tient assise tout au bord de son fauteuil de bureau, aucune idée du nom, de l'époque, faut-il que l'ensemble du mobilier soit assorti ou est-ce une faute de goût ? Toutes ces règles que je méconnais. J'ai tant à apprendre. Elle se tient, dis-je, de côté, une fesse dans le vide, dans cette attitude volontaire, sur le qui-vive, avantageuse pour la poitrine, qui oblige à cambrer le dos et permet de faire valoir ses jambes croisées. Une attitude très singulière, de pouvoir et de sensualité, pas du tout improvisée, savamment étudiée, avec son cou déployé, son port de danseuse. Dès qu'elle remue la tête, c'est insoutenable d'émotion. Je vais peut-être m'évanouir. Ça me rappelle brusquement une nuit d'hiver à Grenade, avec la neige qui tombait sur l'Albaicín, et moi j'y avais presque cru, ce qu'on peut être stupide quand on est amoureuse. On est candide et disposée à prendre des beignes, à attraper une saloperie au premier courant d'air. C'était la plus belle image que j'avais vue de ma vie. Mais je n'en avais pas contemplé beaucoup alors, je l'admets, je débutais dans ce monde.

Rocío Perales est désormais l'autre plus belle image de ma vie, elle assise comme j'ai dit et moi debout.

— Nous sommes tous sur le même plan, ma petite Lorca.

Sauf que c'est un plan incliné, j'en ai bien peur, señora Perales.

— Je vous aiderai, Lorca, je suis là pour vous aider, surtout n'hésitez pas à faire appel à moi, je suis votre amie.

Je voudrais tellement vous croire, señora Rocío qui êtes si parfaite et incroyablement douce avec moi, mais je n'ai pas l'habitude, vous savez, des timbres feutrés, des talons hauts. Ça doit s'apprendre aussi, sûrement.

— Vous me promettez, hein ?

Le roucoulement de sa voix, une cascade champêtre, travaillée au millimètre parce que personne ne parle naturellement ainsi, c'est impossible, il faut des années d'entraînement, d'efforts, de privations, et le premier soir chez moi, les soirs suivants, j'essaie, je m'exerce, sur mon fauteuil à roulettes dont le tissu sent mauvais depuis tout ce temps où je pose mon cul dessus, j'essaie la pose vertige au bord du gouffre, le bruit d'eau dans la gorge. C'est encore plus enivrant que je croyais.

« Quand Rocío Perales et son mari ont engagé Lorca Horowitz dans leur cabinet d'architectes à Carmona, Andalousie, au début des années 2000, ils n'auraient jamais cru que cette dactylo grassouillette et mal dans sa peau allait un jour détruire leur vie. » C'était le début de l'article dans *Elle* et j'ai pensé évidemment qu'ils ne l'auraient jamais cru, sinon ils ne l'auraient pas engagée. À moins d'être complètement masochistes on n'embauche pas une dactylo pour qu'elle détruise votre vie, même si c'est une notion très relative, la destruction d'une vie, et cela n'avait sans doute pas la même signification pour le couple Perales que pour la famille de Jean-Claude Romand, qui s'était fait passer pour médecin pendant dix-huit ans et avait fini par assassiner sa femme, ses enfants et ses parents, ou encore pour moi. On engage une secrétaire pour qu'elle fasse aux heures de bureau un travail déterminé, dont j'avais un peu de mal à concevoir en quoi il pouvait bien consister dans un cabinet d'architectes andalou au début des années 2000, parce que la lenteur administrative et la lourdeur bureaucratique dont j'avais largement fait les frais pendant mes années sévillanes m'avaient ôté toute imagination dans ce domaine, mais un travail a priori inoffensif, sauf dans l'hypothèse machiavélique où l'un des deux membres du couple spolié se serait servi de l'étrange secrétaire pour essayer de supprimer l'autre. Mais je ne voulais pas croire à ce scénario tordu et trop prévisible. J'aurais été déçue.

Je me suis mise à prendre des notes, à ouvrir plusieurs fichiers pour classer les informations que j'emmagasinais. J'avais un peu le tournis à cause de tous les papiers et commentaires que je lisais, des photos qui s'étalaient en boucle sur les sites espagnols, des émissions dont je regardais les rediffusions avec une consternation croissante, beaucoup d'emphase et trop de morale à mon goût. C'est pourquoi j'ai fait le choix à un moment de revenir au seul article français, moins dans l'émotion peut-être à cause de la distance géographique, qui, somme toute, résumait assez bien l'affaire et avait préféré trois illustrations qu'on aurait aussi bien pu sous-titrer *le lieu*, *l'accusée*, *les victimes*. Pourtant quelque chose ne collait pas, j'en ai eu l'intuition immédiate sans réussir à identifier l'objet de mon malaise. Je l'avais forcément sous les yeux et ça devait être assez criant pour que je n'aie pas tourné cette page sans m'y attarder la première fois que je l'avais lue, mais je ne le voyais pas.

Le lieu, c'était donc ce fameux cabinet d'architectes qui apparaissait sur la première photo, un bâtiment à un étage tout en longueur, dont on avait l'impression qu'il était en bois dans la partie supérieure et en pierre dans la partie inférieure, avec un balcon en métal sur la façade et de grandes baies vitrées. Il me faisait penser à un chalet moderne de montagne, ou plutôt à un de ces immeubles qu'on trouve dans les stations de ski, avec plusieurs studios à louer par étage, dénués de charme. Je l'aurais bien vu avec de la neige dessus et autour, ce qui n'était pas du tout dans les possibilités climatiques de Carmona, même en plein hiver. Je ne connaissais pas grand-chose à l'architecture, mais j'avais vécu et souffert de la chaleur assez longtemps dans cette région de l'Espagne pour savoir qu'on y voit davantage de maisons blanchies à la chaux, avec terrasse sur le toit pour faire sécher le linge et patio fleuri intérieur où on prend le frais pendant quasiment huit mois dans l'année, que de chalets en bois. En même temps, un cabinet d'architectes devait peut-être absolument se distinguer dans le paysage, afficher dans sa structure une audace innovante, un contraste par rapport à la tradition locale même si, dans l'Andalousie ultra-conservatrice que j'avais connue, cela me paraissait être une sacrée gageure.

J'étais allée quelquefois à Carmona. Quand des amis de France venaient me rendre visite, j'organisais une ou deux sorties hors de Séville qui variaient en fonction de la durée de leur séjour. Cordoue, la côte, Sanlúcar de Barrameda, Ronda et les villages blancs pour ceux qui restaient assez longtemps, et Carmona pour les plus pressés car la ville doit être environ à une trentaine de kilomètres de la capitale andalouse, on peut largement faire l'aller-retour dans la journée. Dans mon souvenir le vieux centre était très beau, il y avait des vestiges romains, des maisons blanches typiques et un ancien alcazar maure, où Francesco Rosi avait tourné quelques scènes de sa *Carmen* avec Julia Migenes. Voilà à peu près tout ce que je savais de Carmona, et aussi qu'il était très peu vraisemblable d'y trouver un bâtiment comme celui qui apparaissait sur la première photo de l'article.

Sur les murs de l'agence il y a des phrases affichées que je dois savoir par cœur. C'est obligatoire si je veux devenir une employée modèle. On n'est pas à l'abri d'une interro surprise et, dans ce cas, il faut être capable de réciter sur le bout des doigts, sans l'ombre d'une hésitation. Je m'applique parce que je ne veux en aucun cas déplaire à la señora Perales qui est si bonne avec moi, la perfection faite femme. Je n'aurai pas assez de ma vie pour lui exprimer, par tous les moyens, ma reconnaissance. « Perales Architectes est un cabinet composé de cinq collaborateurs. Nos activités incluent la construction à partir de l'existant, la construction neuve, la réhabilitation, la décoration, la recherche et la sélection de mobilier. Notre champ de compétences s'exerce de la conception à la réception des ouvrages, du gros œuvre aux détails de décoration intérieure, et s'étend sur toute l'Andalousie, gagnant peu à peu les autres provinces. Le respect des délais, le sérieux, la recherche de la qualité et la satisfaction de la clientèle sont des préoccupations constantes pour nous. » C'est important pour les Perales cette question du respect, ils ont bâti toute leur réputation dessus.

Ils m'ont embauchée comme dactylo des deux assistantes du cabinet, Pilar, à la gestion administrative, et María del Mar, à la comptabilité. Ils sont d'une telle gentillesse avec moi que je ne peux m'empêcher d'avoir des doutes. La gentillesse, je ne connais pas. Je trouve suspecte toute cette bonté, inconcevable même, car m'engager moi qui, de toutes les candidates auditionnées pour le poste, étais sans doute celle qui avait le CV le moins éclatant et le plus vilain corps, dissimule forcément un vice, je me dis. Mais non, apparemment. Les premiers jours passent et rien ne surgit, aucun coup tordu, nulle tendance perverse pour justifier ce choix. Les Perales sont beaux, riches, bien habillés, minces, amoureux, admirés, tout leur réussit. Ils ont du goût et de l'estime l'un pour l'autre, le señor ne trompe pas la señora, son œil est vide quand il regarde d'autres femmes, ému quand il se pose sur la sienne. La señora ne s'envoie pas en l'air avec ses collaborateurs pluridisciplinaires, ni avec ses clients, ni même avec le stagiaire de service près de la photocopieuse. Ils se suffisent à eux-mêmes, j'étudie, je consigne tout. D'après mes estimations, ils font l'amour trois fois par semaine en moyenne dans leur chambre fermée à clé, une fois les enfants couchés, sur le king-size conçu par leurs soins avec tête de lit bronze doré et marqueterie, tendance Infante Marguerite, et le señor, qui a reçu une éducation châtiée, le señor qui n'est donc pas un gros bourrin d'égoïste macho comme la plupart de nos compatriotes, attend la señora pour jouir une poignée de secondes après elle. Eduardo et Rocío Perales connaissent le plaisir sexuel, aucun doute. Même ça, ils y ont droit.

Pilar et María del Mar m'ont prévenue. Des patrons de rêve, qui délèguent, valorisent, partagent, cajolent, tu vas voir, Lorca, vrai de vrai, pas de mauvaise surprise, pas de loup dans le placard. Des filles inoffensives toutes deux, agréables compagnes de bureau, très heureuses de leur sort, avec qui je m'empresse de me lier d'amitié. Ce n'est pas difficile, les gens sont là pour être aimés, ont besoin qu'on les flatte et leur dise ce qu'ils ont envie d'entendre, c'est le principe des horoscopes. Je connais bien le sujet parce que je m'amuse à en rédiger dans ma tête pour me détendre, même que je favorise systématiquement le signe des Gémeaux qui est le mien et n'a pas toujours eu la faveur des astres avant que j'intervienne et rééquilibre les choses, il faut vraiment tout faire soi-même. Les gens, ils veulent de l'espoir et du compliment, ça les attendrit. Amour, le rythme va s'accélérer, une rencontre se profile, ouvrez l'œil. Travail, avancez lentement et sûrement vers votre but, vos qualités seront reconnues à leur juste valeur, votre heure arrive. Vous nous raconterez ?

– Vous êtes mariée, Lorca ? Pardon de vous poser cette question qui relève de la sphère privée, je le sais bien, sans lien avec vos aptitudes professionnelles. N'y voyez aucune mauvaise intention ni jugement de ma part, mais c'est une petite structure ici, on se connaît les uns les autres, il nous arrive d'aller manger des tapas ensemble après le travail ou de déjeuner le dimanche à la maison. Dans les milieux artistiques, les frontières sont poreuses, un peu consanguines, vous le découvrirez vite, et dans cette maison nous privilégions l'ambiance familiale. Par exemple, je connais les dates d'anniversaire de tous mes collaborateurs et aussi de leurs enfants, ça vous étonne hein, oui, je trouve que c'est important, même si Eduardo estime parfois que j'en fais trop. Vous avez des enfants, ma petite Lorca, j'ai un blanc, je ne me souviens plus de ce que vous m'avez dit, vous êtes mariée ?

Cette diction qu'elle a, cette distinction en toute circonstance. Une grâce incomparable. Même pour enchaîner les platitudes. Je n'arrive pas à comprendre qu'elle s'intéresse à moi, qu'elle pose ses yeux si doux sur ma grosse personne. Je pèse soixante-douze kilos et demi, de la chair molle dans des vêtements pathétiques, la misère, avec nœud dans les cheveux et collants plumetis en hiver. Je ne ressemble à rien, je n'ai aucune personnalité. Je ne suis pas digne de paraître devant elle. Il faut que je m'améliore, que je m'embellisse, pour être à la hauteur de la señora Perales. Ce poste, c'est inespéré. Perales Architectes a pignon sur rue, l'agence réalise des projets aussi bien dans des logements privés que des bâtiments classés, restaurants, hôtels particuliers, et compte dans sa clientèle les entreprises les plus puissantes du pays, ainsi qu'un carnet d'adresses de prestige. J'ai déclaré des études de dactylo, de comptabilité et de gestion, présenté un diplôme, des expériences très enjolivées dans différentes petites boîtes pas connues de la région, trop peu connues en tout cas pour qu'une Rocío Perales s'abaisse à leur téléphoner afin d'obtenir leur aval. Une Rocío Perales n'a besoin de personne pour se forger une opinion sur une fille comme moi, elle est très sûre de ce que lui susurre son instinct et lui confirme un CV gonflé à bloc, que la moindre vérification

26

transpercerait sur-le-champ. Il n'y en a aucune, je ne me l'explique pas.

C'est de l'ordre du miracle pour moi d'avoir décroché un emploi stable après des années disons agitées, compte tenu du contexte national et surtout de mon profil, mon âge, ce cabinet d'architectes à la réputation d'exigence et d'originalité, ces patrons hors norme, elle, généreuse et simplement heureuse d'être, lui, je vais y revenir, qui ont décidé de me prendre sous leur aile. Je suis prête à leur donner ma vie. C'est une réaction excessive et sincère. À côté de toutes les jeunes filles conquérantes, plus que présentables, qui lorgnaient la place, certaines venues spécialement de Séville, dûment recommandées, avec ascendance haut placée et bénédiction de l'Opus Dei, c'est moi qu'ils ont extraite du lot, Lorca Horowitz, trente-deux ans, soixante-douze kilos et demi, attifée comme l'as de pique les meilleurs jours, aucun lobbying en ma faveur. Une décision parfaitement incohérente.

Je me demande s'ils ne sont pas inconscients, comme ces puissants certains de leur impunité, ou si ce sont des saints qui ont trouvé en moi la destinataire de leur compassion. C'est la vilaine petite voix qui me cogne dans le cerveau, n'arrête pas de s'interroger, et si toute cette opération était une entreprise de manipulation dont je ne me rends pas compte et que je nourris chaque jour en adorant ceux qui sont en réalité mes bourreaux ? Comment savoir ? C'est elle qui m'a choisie. Pour travailler avec eux tous les jours, dans le grand bureau open space, pour respirer le même air qu'Eduardo Perales, qui, à ses heures perdues, pour décompresser comme il dit, au lieu d'aller aux arènes ou de suivre avec avidité les résultats de la Liga, s'emploie à traduire en castillan de la poésie médiévale française, comme je l'ai découvert très vite. Eduardo Perales, le doux, le tendre, le merveilleux Époux. Pour l'assister au plus près, elle a préféré désigner une moche, une pas grand-chose, qui traîne son ratage sur sa figure, lui jurera une reconnaissance éternelle, ne lui fera aucune ombre, au contraire, servira de repoussoir pour lui renvoyer la lumière. Et il a laissé faire. Une innocente, qu'elle s'est dit. Si c'était ça la vraie raison de mon embauche ? Je dois rester vigilante. Prudence, Lorca. Méfiance.

Oui je suis mariée señora, mariée depuis douze ans, je lui réponds. Et c'est tout. Je ne vais pas lui dire qu'il s'appelle Julián, que c'est mon amour de jeunesse, mon grand amour, épousé à vingt ans, emportée par le premier élan mais sans regret, vraiment. On ne sait jamais comment elle réagirait si je lui avouais qu'il est arrivé un jour dans mon village et que j'ai su tout de suite qu'il venait pour m'enlever, un rapt, oui señora, le rapt de Lorca Horowitz. Julián c'était le bon, avec lui à la vie à la mort, c'est mon tout petit et je suis son unique, un jour il faudra que je révèle notre histoire dans le menu détail, c'est comme ça qu'on dit, me semble-t-il, le menu détail. Je dois faire des efforts de langage terribles pour être au niveau de doña Rocío qui a tant de classe écrasante. On pourrait en faire un film tellement elle est belle notre histoire, un amour si fort, si fusionnel que lorsque l'un se blesse c'est l'autre qui souffre. Mon seul amour. Un jour peut-être je dirai notre rencontre et comment Julián m'a fait la cour, m'a sorti le grand jeu, comment il m'a écrit de longues lettres si précieuses, si fragiles que je n'ai jamais pu les lire en entier de peur que mon cœur n'y résiste pas, mon petit cœur friable, les lettres de Julián, si Rocío savait. Mais elle ne sait pas. Je suis de celles qui ont reçu dans leur vie des lettres d'amour, ce qui n'est pas donné à tout le monde et c'est peut-être vieux jeu mais j'aime beaucoup qu'on mette les formes et les mots. J'aime qu'un homme bataille et me conquiert. Qu'un homme ait peur de moi, défie sa peur et m'emporte. Julián m'a vouvoyée au début, usted il m'a dit. Julián, c'est ce qui est arrivé de plus beau dans toute ma vie. J'ai une chance inouïe d'avoir connu, je veux dire de connaître ça, car c'est toujours vivant, la señora ne doit pas croire que c'est fini, ça bat pleinement, et c'est passé si vite ces douze ans qu'on n'a pas encore eu le temps de faire un enfant, pour répondre à sa question. C'est sans doute aussi qu'on est trop soudés, il n'y a pas de place entre nous, j'en ai conscience, pas besoin de faire de longues études, je suis une femme lucide et je sais qu'il faudrait qu'on se dénoue un peu Julián et moi, c'est exagéré comme lien, de la surpression, parfois c'est presque irrespirable, seulement je n'y arrive pas. Je suis bien dans cette asphyxie. C'est ma faiblesse, Julián, je ne conçois pas le monde sans lui, sans poser ma tête le soir dans le creux de son épaule avant de m'endormir, sans lire le désir fou qu'il a pour moi dans son demi-sourire, c'est ma seule certitude indéboulonnable, Julián, et si un jour il ne m'aimait plus, ne me désirait plus, je ne sais pas ce dont je serais capable. Mais cela ne peut pas arriver, je suis tranquille. Lui et moi c'est solide comme du ciment, ça résiste à tous les coups, et on a été assez gâtés dans ce domaine, pas à se plaindre. Perdre l'amour de Julián ? La señora peut se lever de bonne heure. J'ai mon alliance. Trois anneaux, trois ors entrelacés, inséparables. L'or ne se rompt pas, doña Rocío peut toujours essayer, mais avant qu'elle y parvienne, je serai à sa place, c'est moi qui dirigerai cette agence. Je plaisante.

Si je lui tenais ce discours, la señora Perales ne le supporterait pas, c'est évident. Elle serait stupéfaite, ébahie, pantoise, interloquée, j'ignore quel est le bon adjectif, plus on a de choix, moins on a de certitudes, une épithète évoquant la surprise et l'admiration, avec une lueur de panique qui me rendrait toute comblée, c'est atroce mais c'est ainsi. Ce serait drôlement jouissif de l'impressionner, doña Rocío, de l'époustoufler, de la voir se décomposer, se trouver petite tout à coup devant moi, éprouver de l'envie et de la honte à la fois parce que, tout Rocío Perales qu'elle est, je suis persuadée qu'elle ne connaît pas le sentiment amoureux quand il a cette puissance, elle c'est du tiède, du bienséant, ça doit entrer dans le cadre et ne pas dépasser. Elle a appris à bien se tenir, à ne pas transpirer, à bien s'éventer, Semana Santa, pèlerinage du Rocío, Corpus Dei, une fesse dans le vide. Ce serait très douloureux pour elle de sentir le vertige, Rocío Perales, dans sa tenue chic décontracté comme on voit dans les magazines, de s'estimer minable soudain sur son fauteuil royal devant son secrétaire Felipe II ou Carlos III, je confonds, ambiance Saint-Office, toutes ces marques, ces références historiques de partout qui ne servent à rien quand on n'a jamais éprouvé la fusion passionnelle. Elle se dirait qu'elle a raté sa vie, se noierait d'un coup dans une douleur incommensurable, honteuse. Si elle a un peu le sens de l'honneur elle se lèverait et se jetterait par la fenêtre. Je la laisserais faire, pour son bien, ne l'accablerais pas, je peux être très magnanime quand l'autre admet sa défaite, il ne faut pas croire.

Lorca, Lorca, comme tu es injuste avec la señora qui est si douce, si bonne, si bienveillante avec toi! Je me fais honte. La señora qui n'ose m'interroger davantage car elle est pudique et de toute manière n'a aucun droit sur moi, ce n'est pas le tribunal de l'Inquisition. Je ne mérite vraiment pas sa confiance ni la place qu'elle m'a offerte dans son agence, je suis une misérable pleine de frustration et de jalousie, incapable de considérer qu'un acte puisse être sans calcul, voyant le mal partout. J'ose à peine la regarder, elle si éblouissante, avec ce petit mouvement du menton qu'elle a, Rocío Perales, ce mouvement séparatiste, qui ne se mélange pas. Ça lui échappe, on ne se refait pas, un grognement refoulé du fond de la gorge, comme quand on s'étouffe avec un noyau coincé dans le larynx. C'est sans doute ce qu'elle ferait de mieux dans sa vie, terminer là, révulsée sur son fauteuil royal ou écroulée sur ses dalles hispano-mauresques, même si c'est peu glorieux comme tableau final, mais on n'est pas toujours héroïque. Pourtant, elle n'a pas la décence baroque de s'étouffer, Rocío Perales, à cet instant précis où j'ai failli lui avouer ce que j'ai de plus cher, la seule réussite de ma vie, elle réprime juste un rire de gorge. Ça la rend toute rouge et très laide, très commune, la vérité, vraiment ordinaire, elle n'a plus sa classe légendaire qui fait ployer les têtes partout où elle va. Mais ce n'est pas une consolation.

Il y a dans cet entretien quelque chose qui la met mal à l'aise. Peut-être regrette-t-elle maintenant de l'avoir initié, je n'y vois plus très clair moi-même. Elle commence à s'agiter sur sa demi-fesse, brûle d'impatience de retrouver la compagnie de l'Époux parfait, des collaborateurs pluridisciplinaires et dévoués, ne sait pas comment se sortir de là.

– Et il fait quoi votre mari ? Il est dans quel secteur ?

Julián est employé dans une entreprise de pompes funèbres, il s'occupe des corps, avant la mise en bière. Il est très doué, son travail est sacrément apprécié, c'est le meilleur dans sa branche. Les macchabées, après qu'ils sont passés entre ses mains, on dirait qu'ils vont se relever, il a des doigts magiques. Mais ça non plus, je ne peux pas le dire. Elle en tomberait à la renverse, Rocío Perales, elle prendrait peur, ou ombrage, elle réduirait l'affection qu'elle me porte, la protection dont elle m'entoure, la confiance qu'elle semble me témoigner, et je ne le veux surtout pas. Ce serait la pire des choses qui pourrait advenir, je ne m'en remettrais pas.

Alors j'abrège, je simplifie. Service à la personne, je réponds.

La deuxième photo, c'était elle, Lorca Horowitz. Et, d'une certaine façon, elle était encore plus décalée dans le décor que l'agence d'architectes. Car la femme qu'on voyait, l'étrange secrétaire, ainsi qu'il était écrit au-dessous du cadre, était peut-être dactylo, je n'aurais pu l'affirmer ni jurer le contraire, j'ignorais ce qu'était le physique de l'emploi dans ce domaine, du reste je ne croyais pas beaucoup à ce genre de raccourci, la certitude en revanche c'est qu'elle n'était pas grassouillette et ne paraissait pas du tout mal dans sa peau. Elle avait une petite quarantaine d'années, blonde, d'un blond criard, destiné à attirer l'attention immédiate, sans subtilité aucune, avec un carré plongeant très travaillé. Il était évident qu'elle était mince, même si la photo ne laissait entrevoir que son visage et le haut d'une tenue noire légère avec de fines bretelles, un décolleté mettant en valeur des bras et une poitrine aux proportions harmonieuses, pas franchement adipeuses, un visage taillé à la serpe, baissé dans une attitude d'humilité que démentaient ses yeux terribles, effrayants.

J'avais reconnu dans un journal espagnol la même photo non recadrée, qui montrait la femme de pied en cap, avec escarpins de luxe et ensemble haute couture, petit sac à main en peau de reptile, crocodile peut-être, et elle correspondait assez peu à l'image qu'on peut avoir d'une dactylo dans une ville moyenne d'Andalousie. Recentrée sur le visage, elle faisait ressortir exagérément ses yeux noirs, et même s'ils ne fixaient pas l'objectif, on distinguait qu'ils étaient remplis d'une haine que je n'ai jamais rencontrée chez personne dans ma vie. Il n'y avait pas de précision sur l'auteur du cliché ni sur le moment où il avait été pris, mais il faisait très chaud manifestement, ce qui est quasi permanent là-bas et a peut-être une incidence comportementale, c'est un domaine où je ne m'aventurerai pas. Dans tous les cas, la femme qui possédait des yeux pareils me semblait tout à fait capable de détruire une vie.

Mais le plus extraordinaire finalement, c'était la troisième photo. Le couple spolié, uni dans l'épreuve, posait bravement devant la caméra. On ne savait pas non plus quand la séance avait eu lieu, mais assurément pas à la même saison que la précédente car la femme, que son très grand mari entourait de ses bras protecteurs, apparaissait enveloppée dans un manteau en fourrure exubérant comme en raffolent les Espagnoles, et plus encore celles du Sud, qui ne ratent pas l'occasion de sortir le leur les quelques fois où la température descend en dessous de 10°C, généralement au cours du mois de janvier. Tout est alors terne, sans lumière, et c'est si rare en Andalousie qu'on croise ces jours-là des gens désolés, avec un air d'absolue indignation, comme s'ils étaient personnellement offensés.

Eduardo Perales devait avoir la cinquantaine. Il était poivre et sel, ce qui n'est pas commun en Espagne où les hommes gardent leurs cheveux noirs très longtemps, et il fixait l'objectif avec dignité et un certain soulagement qu'on devinait sans peine au sourire qu'il retenait. Si sa vie avait été détruite, il semblait s'en être remis, ou alors c'était la fierté, l'orgueil, la vergüenza, comme on dit là-bas, où on ne plaisante pas avec l'honneur, où il faut rester debout, droit, ne pas montrer la moindre faiblesse, revenir à l'endroit où on a été blessé, refaire exactement le même geste, principe élémentaire de tauromachie, surtout devant une dactylo grassouillette et mal dans sa peau, joder. La vie d'Eduardo Perales si elle n'avait pas été détruite avait du moins été étalée dans tous les médias en long, en large et en travers, et il fallait bien qu'il tienne son rang, en plus de son épouse à bout de bras. Comme il arrive souvent aux victimes, une inévitable question planait au-dessus de sa tête, comment est-il possible que vous n'ayez rien remarqué, accompagnée du soupçon de rigueur, complice roué ou imbécile fini ? dont il ne parviendrait jamais totalement à se débarrasser. Mais pour l'heure, il avait une image à reconquérir et un cabinet d'architectes aux allures de chalet savoyard, désormais au bord de la faillite. Il s'efforçait donc de faire bonne figure, l'élément masculin du couple spolié, et on ne savait rien de son histoire, de sa famille, s'il était par exemple l'aîné d'une fratrie, à une époque ceux-là étaient destinés à la carrière militaire, les puînés à la voie ecclésiastique. Je n'ai jamais entendu dire qu'on envoyait les autres par défaut dans l'architecture, n'empêche qu'Eduardo Perales s'était retrouvé là et s'en sortait plutôt bien, menait une vie sans histoire avant l'irruption dans celle-ci de Lorca Horowitz. C'était d'ailleurs exactement la description qui lui convenait le mieux, Eduardo Perales avait la tête d'un homme sans histoire, avec le col de sa chemise qui dépassait de sa pelisse et laissait entrevoir sa couleur rose, comme seuls les Andalous sont capables d'en porter, avec une cravate assortie. Malgré ce détail, il ne retenait pas longtemps l'attention.

En vérité, c'était elle qui captait le regard. Rocío Perales avait une tête de moins que son homme et plissait tellement les yeux qu'il était impossible d'en préciser la couleur. On distinguait juste une ombre bleue sur ses paupières, qui s'accordait parfaitement, et c'était intentionnel, à l'écharpe qu'elle portait autour du cou et qui tranchait avec le noir de sa fourrure. Sa bouche était faite. Ses cheveux, châtain foncé tirant sur l'auburn, étaient ramenés en arrière, peut-être noués en un chignon, on ne voyait pas. Ce qui frappait, c'étaient ses sourcils, épilés intégralement et redessinés au crayon d'un trait fin, comme une simple parenthèse horizontale, à la façon dont le faisaient les femmes à une époque. Et son air mauvais. Rocío Perales, à l'inverse de son mari, ne souriait pas, elle serrait les dents et cela n'avait rien à voir avec le froid éventuel qui plombait l'ambiance ce jour. C'était assez frappant, même sur une photo prise probablement un matin d'hiver, ses mâchoires étaient crispées comme si elle s'apprêtait à mordre. Tout en elle criait vengeance. Les femmes espagnoles ont du caractère, elles ne sont pas réputées pour se laisser empoisonner l'existence, mais celle de Rocío Perales donnait une impression de saccage. Il n'était pas impossible qu'on la lui eût détruite. Pourtant, j'avoue m'être fait la réflexion que, dans un casting sur photos, je ne lui aurais pas naturellement attribué le rôle de la victime. Plutôt celui de l'accusée. Que s'était-il donc passé? Aucune de ces trois images ne semblait correspondre à ce qu'on aurait voulu qu'elle dise.

Eduardo Perales, l'Époux parfait, possède une voiture de sport, un modèle coupé rouge comme ceux des toreros stars, qui ont triomphé, et qu'on voit régulièrement vrombir sur les petites routes entre les villages blancs au volant d'engins qui roulent trop vite, coûtent trop cher, et laissent des vagues de poussière ocre sous les oliviers. Il se gare juste devant l'entrée de l'agence, à sa place réservée, même s'il habite à un kilomètre tout au plus de la vieille ville, car les Perales se sont fait construire une villa dans le style arabo-andalou à l'extérieur de Carmona, une splendeur digne de Rocío, non loin de Parador, sur la colline qui surplombe la plaine. Il pourrait venir à pied, Eduardo, mais il prend sa voiture sous prétexte qu'il fait trop chaud pour se priver des bonheurs de la climatisation, même sur quelques centaines de mètres, et qu'il risque d'en avoir besoin dans la journée pour des rendez-vous à Séville ou à l'heure du déjeuner. Il faut le voir rouler en première dans les ruelles pavées où ses portières étincelantes rasent les murs des deux côtés. C'est certainement sa conception du risque, ça doit l'exciter, et sa seule concession, extravagante, au bruit. Sinon c'est plutôt un homme discret, Eduardo Perales, il ne hurle pas quand il parle et n'agite pas les bras comme des ailes d'éolienne, c'est rare par ici quand on y réfléchit. Je n'y connais rien en automobile, mais je me dis que je ferai certainement plus vite des progrès dans ce domaine qu'en poésie médiévale. Je travaille beaucoup, consulte des revues. Le jour j'observe, la nuit je note tout, j'ai une technique très personnelle d'analyse et de mémorisation. Je veux être au niveau de mes patrons, pour être capable de me défendre avec les mêmes armes qu'eux s'il le fallait. Ou quand il le faudra.

Je décortique le fonctionnement de la machine Perales, fondé sur la confiance et la fidélité mutuelles que se témoignent, épris, attentionnés, tendres, admiratifs comme au premier jour après quinze ans de mariage, Eduardo et Rocío, qui se consacrent exclusivement l'un à l'autre une soirée par semaine et un week-end par mois quoi qu'il arrive, pour prouver à quel point ils évitent les pièges du quotidien et veillent à ne pas laisser ensevelir leur amour exemplaire sous le travail, les trois enfants blonds, la famille, la vie sociale et les obligations religieuses. Leur priorité, c'est leur couple. J'en ai les larmes aux yeux. Ta faiblesse Lorca c'est l'émotivité. Je sais qu'il faut corriger cette tare coûte que coûte si je veux exister auprès des puissants, il n'y a pas de place pour les cœurs friables parmi eux. Je cherche la faille qui correspond à toute mécanique, en vain, je ne la trouve pas, aucun faux pas. À notre époque, c'est quasiment de la mauvaise volonté. Je ne comprends pas. Un homme, ça a des pulsions, d'autres besoins qu'une femme, un homme c'est faible et ça résiste mal à la solitude, ça n'est jamais à l'abri de l'irréparable, c'est capable de tout salir, de tout gâcher, même un exceptionnel, un qui ne serait vraiment pas comme les autres, un comme Julián par exemple. Mais je cite son nom sans cause à effet, par pur hasard, il n'y a vraiment aucun rapport, je préférerais ne pas parler de Julián maintenant. Je ressens un sentiment de culpabilité à son égard car je ne suis pas insensible, je l'admets, malgré tout ce que je peux en dire, au charme d'Eduardo Perales, son coupé rouge, ses costumes gris, sa retenue, son adoration pour Guillaume de Poitiers, ses bonnes manières, son mobilier Infant Baltasar Carlos. Le contraire de mon style, que je n'ai pas. Un homme à l'ancienne, qui ouvre la portière de sa passagère, qui très précisément coupe le moteur, sort sans hâte mais avec détermination de sa belle voiture qui fait ployer les têtes sur son passage, contourne le véhicule en lissant son costume anglais légèrement froissé par la conduite, et vient ouvrir la portière de sa passagère avant de lui donner la main pour l'aider à extraire une jambe, fabuleuse, puis l'autre. La première fois, je me repasse la scène soixante-quatre fois le soir chez moi dans mon lit. C'est mieux encore, plus excitant et plus sale qu'un porno, d'ailleurs je jouis. Ou presque.

Pour en revenir à Eduardo Perales, il est certain que son amour pour son épouse me fascine avant toute autre chose, avant sa personne même d'homme bien élevé et de mari fidèle à mourir d'ennui. La señora Perales est comblée dans tous les domaines. Pourquoi ce sont toujours les mêmes qui ont une enfance heureuse et une place de parking, des jambes inouïes, des amours indolores et des employées dévouées quoi qu'il arrive ? À s'en taper le crâne contre les murs. Quand je rentre chez moi après le travail, c'est d'ailleurs ce que je fais, à des endroits où ça ne se voit pas, au milieu du cuir chevelu, entre mes cours de rattrapage intensif en comptabilité, en versification française et en automobile. Je ressens une attirance irrépressible pour ce que je ne saisis pas, l'univers qui m'est le plus étranger, je plonge la tête la première dans l'eau noire de l'altérité. L'eau claire me lasse. Il y avait peu de chance, mais si les Perales avaient appartenu à un monde sinon identique au mien du moins plus proche, s'ils avaient été extraits à peu près de la même boue, ils m'auraient moins captivée. Je les reconnais mes frères de rejet, ceux qui ont été moqués dans les cours d'école, les anciens bègues, les ex-grosses. Je les reconnais et je les fuis. Mais eux, les Perales, c'est tout le contraire, c'étaient les chefs à la récré. J'ai décidé de devenir leur ombre, une ombre à deux corps. Je leur colle à la peau. Je vais me rendre tellement indispensable qu'ils ne pourront plus se passer de moi.

Juste un peu, je tombe amoureuse d'Eduardo, le temps que je me sente dominée par lui, le temps surtout que je me persuade que je le suis. Pour éprouver du plaisir sexuel la femme doit subir la puissance de l'homme, je l'ai entendu dire un soir à la télé et c'était une telle évidence que j'ai zappé aussitôt à cause du bouleversement que ça risquait de produire en moi car je n'échappe pas à la règle, avec Julián je ne maîtrise jamais rien. C'est lui qui décide du rythme et de la position, de la direction, de la température, je parle de nos vies, en général. Mais si je commence à évoquer Julián je vais partir dans tous les sens, parce qu'il me fait ça, Julián, cet effet, il me disperse aux points cardinaux. Je perds mes connexions. Alors je comprends très bien qu'on puisse avoir envie d'en finir, soudain, en début d'après-midi, au mois de novembre, après un dernier repas à Triana, ça m'est arrivé. J'étais dans le bus de retour à Carmona après un déjeuner d'affaires avec les Perales et les dirigeants d'une confrérie sévillane, je ne sais plus laquelle, je faisais semblant de m'intéresser, avec qui nous célébrions dans un restaurant célèbre du quartier gitan un marché que l'agence avait conclu. C'était une journée assez claire bien que la luminosité déclinât déjà, une clarté livide de début d'hiver. Je contemplais la ville à travers les vitres sales du bus et m'émerveillais parce que je m'émerveille toujours quand je traverse Séville. Lorca c'est inquiétant ce que tu peux être fleur bleue. Brusquement, alors qu'on passait le Guadalquivir, à un endroit très précis, la Maestranza en face, le clocher de la Giralda au loin, toute cette beauté nous encerclant, douloureuse à soutenir, j'ai compris la nécessité qu'on peut éprouver de rentrer chez soi, enfiler un peignoir, s'allonger sur son lit et se tirer une balle dans la bouche. Je ne saurais pas l'expliquer, il n'y avait aucune raison.

Ce n'est pas comme si j'avais surpris Julián sur un bout de trottoir, adossé au parapet du pont, ou un homme qui lui ressemble, enveloppant dans ses bras une femme, la pressant contre son corps, avec ses mains qui remontent le long de son dos et plongent sur sa nuque, sous ses cheveux, ses mains qui me perdront, sans lesquelles je suis probablement inapte à vivre, caresser délicatement son visage que sa bouche effleure, une femme qui n'est pas moi, belle comme je ne le suis pas, à la Rocío Perales. Image fugitive, vision d'épouvante, le bus s'éloigne, la scène disparaît, les mains de mon mari sur le corps d'une autre. Non. Je n'ai pas assisté à cette catastrophe irréparable, je n'ai rien vu, je le jure. Et rien de terriblement concret ne justifie cet aparté sur le suicide, sauf Julián. Les apartés en général me ramènent systématiquement à Julián, c'est insupportable.

Venu répondre pendant deux heures aux questions de mes étudiants à propos de *L'Adversaire*, Emmanuel Carrère leur a raconté qu'un jour, après sept ans de travail, découragé, il s'est résigné à abandonner définitivement son projet littéraire autour de l'affaire du faux docteur Romand. Il n'arrivait pas à savoir qui racontait l'histoire, à trouver la voix du narrateur. Il avait essayé celle de l'assassin mythomane, celle aussi de son ex-meilleur ami, et ça ne marchait pas. Avant de ranger au fond d'un placard les piles de cartons contenant le lourd dossier d'instruction et l'énorme matière qu'il avait accumulée au cours de sa recherche, il s'est dit qu'il allait consigner dans un cahier le récit de ces années qu'il avait passées obsédé par une histoire dont il ne ferait jamais un livre, pour garder une trace, le souvenir d'avoir tout de même vécu sinon écrit.

Et c'était là, dans son propre renoncement, qu'il avait trouvé la voix de son livre. Ce n'était pas celle d'un personnage, c'était la sienne.

Cette réappropriation du sujet était devenue depuis la marque de fabrique de l'écriture de Carrère, en même temps qu'une revendication de dire la vérité, de ne rien inventer, de mettre en scène dans ses textes de vraies gens, à commencer par lui-même. Mais, à partir du moment où il y avait mise en scène, mise en forme, c'est-à-dire art, je me demandais où était la vérité. Qu'était-elle ? La création n'était-elle pas toujours une reconstruction ? Le fait de faire jouer des acteurs non professionnels n'empêchait pas qu'ils jouent. La présence seule de la caméra ne déformait-elle pas le rapport à l'espace, le point de vue et le contenu hiérarchique de l'image ? Et celui qui tenait cette caméra ne manipulait-il pas la réalité des images qu'il prétendait montrer ? Je n'avais pas les réponses à ces questions. Mais celle de l'auteur découvrant le sens de son livre, sa voix, en renonçant à celle de son personnage me hantait. Elle était accompagnée de l'intuition qu'il y avait dans le mystère de Lorca Horowitz quelque chose de signifiant pour moi, une place que je devais prendre, et qu'il pourrait s'opérer entre l'étrange secrétaire et la femme que j'étais ce type de glissement. Je songeais que si j'avais l'intention d'enquêter vraiment sur cette affaire, il me faudrait sans doute, tôt ou tard, partir en Andalousie. Retourner en Andalousie.

Là-bas, un jour, j'avais épousé un homme. Un mariage d'amour, fusionnel, qui m'avait fait tout quitter pour rejoindre cet homme et m'installer avec lui, réduire au minimum l'espace entre sa peau et la mienne, avec ce besoin permanent de le toucher, de m'assurer de sa présence, peut-être de sa réalité, à une époque qui me semblait, non pas si loin, mais si étrangère aujourd'hui qu'il m'arrivait quand j'y faisais référence d'employer l'expression « dans une autre vie ». Tu as de la chance d'habiter ici, commentaient invariablement les amis qui venaient de France séjourner chez nous, quand ils admiraient la vue des toits rouges et de la Giralda qu'on avait depuis notre azotea, à cet instant très précis de la journée où le soleil tombe soudain derrière la terre, un moment, très bref dans cette région du monde, juste avant la nuit, où le ciel se teinte d'une couleur unique. Un prélude au silence, avec le ballet des hirondelles qui déchirent l'ombre grandissante. C'est dense et brutal, d'une beauté incomparable. Puis le noir. À Séville, c'est cette forme fugace que prend le crépuscule. On l'appelle l'heure bleue.

Mais c'était moi qui avais choisi d'être là, ça n'avait rien à voir avec la chance. J'avais pris le contrôle de ma vie, je l'avais dirigée vers ce que je croyais se rapprocher le plus de mes rêves. Depuis, ils n'étaient plus les mêmes. Je m'étais séparée de mon mari sévillan et de tout ce que j'étais alors. Et le constat qu'entre cette existence andalouse qui me paraissait l'image de l'accomplissement et celle que je menais désormais il n'existait pas le moindre point de correspondance, comme si j'avais complètement effacé une identité qui avait pourtant été la mienne longtemps pour en prendre une autre, laissait en moi un goût imprécis, mais vibrant. Je n'avais pas seulement évolué, j'avais complètement changé. De paysage, de milieu, de métier, d'amis, d'envies. J'étais changée. Sur la route où j'avançais sans tenir compte des gens qui n'arrivaient pas à me suivre et que j'abandonnais sur le bas-côté, Lorca Horowitz m'obligeait soudain à me retourner, à regarder vers elle. J'avais peur de me revoir. Repartait-on vraiment de zéro ? Pouvait-on follement aimer un homme, partager avec lui l'intimité la plus insondable au point d'avoir un enfant, puis l'exclure violemment et pour toujours de ses désirs ? Le renvoyer au néant, le replonger dans le mystère, sans plus aucune volonté cette fois de le percer ? Le laisser dériver au loin, et ne pas même s'apercevoir qu'il disparaît ?

Retourner en Andalousie, c'était peut-être prendre le risque d'entendre à nouveau la voix de cette jeune femme qui me ressemblait comme une sœur, et qui n'était plus moi.

Les Perales sont des êtres si exceptionnels que non seulement ils n'ont pas vérifié mes références mais m'ont engagée sans me soumettre à une période d'essai.

– Je me fie à mon instinct, Lorca, il ne m'a jamais trompée et vous a désignée.

Je fais mon possible pour être ce qu'elle attend de moi, devenir une employée parfaite selon ses critères, pétrie de gratitude, efficace et discrète, au point qu'on finit par l'oublier et qu'on relâche la vigilance. Il faut que je devienne invisible. C'est le plus difficile, parce qu'il y a beaucoup à effacer, longues jupes bariolées, robes à fleurs, bijoux ethniques, habitudes de langage trahissant l'origine, absence de manières dans tous les domaines, bandanas dans les cheveux, cheveux justement filasse, de ce brun passe-partout indéterminé que j'ai hérité de ma mère comme toutes les caractéristiques authentiques, donc non remarquables, de ma personne.

Et un dimanche, l'événement se produit. Ils m'invitent à déjeuner chez eux, en famille. Plaisir incommensurable et questionnement tous azimuts, s'agit-il d'un acte de pitié, d'un geste de miséricorde dûment recommandé par monsieur le curé ou bien y aurait-il un attendrissement réel, une vraie bientraitance à mon égard ? Difficile de trancher, les Perales tiennent à ces démonstrations démocratiques d'égalité et de fraternité dont ils donnent régulièrement une représentation le week-end en matinée, pour la formation des gosses sans doute, je ne sais pas, je suis tétanisée par le trac. Je me suis habillée comme si j'allais chez la duchesse d'Albe, ai apporté un bouquet de lys d'un mètre d'envergure, qui a moucheté ma robe de taches. Je ne supporte pas l'odeur des lys, ça pue. À table, quand la domestique vient vers moi en premier car je suis l'invitée, et même d'honneur vu que je suis la seule, c'est un spectacle à huis clos, avec un plat de poisson qu'elle approche de mes mains, je ne sais pas que je dois me servir moi-même. Lorsque je le comprends grâce à un petit signe bienveillant de Rocío, je saisis les couverts du plat, m'efforçant d'endiguer le désastre, de stopper ma chute dans l'humiliation sous l'œil, en apparence impassible mais narquois, de la domestique, et celui silencieusement poli des trois enfants blonds qui feignent d'observer le liseré doré autour de leurs assiettes. C'est un poisson très pénible à attraper, très glissant et peu coopératif. Je suis anéantie.

Au bureau le lendemain, je fais comme si de rien n'était. Aucune trace de larmes ni de vomissement. Ce n'est pas un problème pour moi, j'ai depuis longtemps appris à sourire avec le cœur brisé. Pilar et María del Mar ne remarquent rien, c'est une autre affaire qui occupe toutes les zones de leur cerveau et fait rosir leurs joues dès le matin. Depuis que j'ai fini par céder et leur avouer sa profession, elles n'arrêtent pas de m'interroger sur Julián. Elles sont tout excitées, reviennent sans cesse à la charge. Comment un si beau garçon, tel que je le décris, et encore c'est en dessous de la vérité mais si je la leur avouais elles penseraient que je mens, peut-il exercer pareille profession ? Quelle attirance suspecte et tout de même effrayante pour le morbide le pousse à passer plus de temps avec des morts qu'avec des vivants ?

— Toi Lorca ça ne te dérange pas qu'il te touche, qu'il pose sur toi des mains qui ont lavé, malaxé toute la journée des cadavres ? Des cadavres tout nus ?

– Comment s'appelle ce film où il y a un type qui fornique avec une morte très belle et très jeune dans une morgue ?

Ce genre de questions. Comme j'adore parler de mon mari, je ne me fais pas prier pour répondre. C'est plus excitant au contraire, Éros et Thanatos, ça rajoute au mystère, à l'insaisissable. Le contraste, la douceur des mains de Julián et la chair mutilée des défunts, la peau froide, bleue, mon corps vibrant et la chaleur de mon désir. Mais Pilar et María del Mar sont trop primaires pour comprendre, elles étoffent leur vision du couple à travers des séries télé qu'elles semblent consommer à haute dose le soir calées contre l'oreiller conjugal tandis que leur mari déjà gras regarde le foot sur un autre poste, et prennent un plaisir plus jouissif encore à commenter le lendemain au bureau. Alors je leur dis juste la douceur des mains de Julián, ses doigts de pianiste émouvants comme des branches d'olivier.

Rocío en revanche n'a plus osé aborder le sujet conjugal avec moi. Question d'éducation. C'est une fille de famille, elle garde toujours cette fameuse distance avec les gens issus des strates inférieures, pire encore quand il s'agit de ses subalternes hiérarchiques, en dépit de tous les principes de souveraineté citoyenne qu'elle affiche. Elle a peut-être aussi des raisons plus souterraines de ne pas trop m'approcher. Quand une Rocío Perales, persuadée jusque-là d'avoir tout réussi dans sa vie, rencontre une Lorca Horowitz, qu'elle ne peut s'empêcher de prendre de haut, malgré ses préceptes bien catholiques, une Lorca Horowitz qui a connu les différents stades de l'état amoureux, il y a de quoi remettre soudain en cause ce qu'on n'avait jamais questionné auparavant, douter même de l'utilité de sa présence sur terre. Rocío Perales perçoit le risque à frayer avec moi.

Depuis ce dimanche chez elle, j'ai compris vraiment la chance que j'avais. La chance de supprimer le fichier de base Lorca Horowitz. Droit à l'oubli. La deuxième version sera enrichie d'éléments plus subtils et complexes, avec signes extérieurs de richesse. Aucune traçabilité. Il paraît qu'il faut six mois de travail pour fabriquer une poupée de cire chez Madame Tussauds, avec modelage du visage et du corps en terre glaise, intervention de prothésistes oculaires et dentaires, maquilleurs, implantation un par un des cheveux, des sourcils et des cils. C'est à peu près le temps dont j'ai besoin pour réaliser la mienne, ma poupée à moi. Seulement, comme je ne peux pas la sortir d'un coup, je dois attendre qu'ils relâchent leur attention. C'est ma différence majeure avec Madame Tussauds, où la performance vise le spectaculaire. Chez moi, elle doit d'abord passer inaperçue. Chacun son heure. La patience est un atout capital quand on est déjà dans la place, prenez les Grecs planqués dans leur fameux cheval en bois. La guerre appartient aux plus stratèges, aux pervers, et je suis une âme raffinée bien que pressée, je n'aime pas la lenteur, sauf quand elle est délicate.

S'ils savaient ma déception, s'ils mesuraient l'ampleur de mon chagrin, ils auraient peur de moi. Dans la rue ils changeraient de trottoir, presseraient le pas, un petit trot hâtif au début, encore décent, avant d'abandonner toute dignité et de courir comme des bêtes folles jusqu'à leur tanière. Ils se barricaderaient chez eux. Ils vérifieraient les volets, les serrures. Alors, un peu rassurés, ils se laisseraient tomber dans leur canapé Inquisition. Le señor se servirait un doigt de xérès, la señora attraperait de sa main impeccable sur la table basse le catalogue raisonné de ce photographe américain exposé ces jours-ci au Reina Sofía. Elle remarquerait une trace sur le plateau en verre, en éprouverait une légère contrariété mais se retiendrait de faire une remarque. L'important, la priorité, c'est d'être à l'abri, et ils croient l'être encore, chez eux, dans leur foyer parfait, leur mariage parfait, cernés par leur mobilier Charles Quint, chêne et sang.

Ils ne regardent pas au bon endroit. Le danger n'est pas dehors.

Moi Lorca Horowitz, je suis avec eux, à l'intérieur.

Dans cette affaire, il était manifestement question d'usurpation d'identité et d'une forme de folie destructrice, mais je crois que l'élément qui me captivait et touchait en moi quelque chose de fondateur était que cette femme en apparence ordinaire, avec des désirs et des frustrations comme nous en avons tous, des rêves avortés et la tentation parfois d'un autre possible, avait réalisé ses fantasmes les plus inavoués sans douter un seul instant. Ce que Freud appelle le « passage à l'acte » de ce qui est enfoui dans l'inconscient, et est censé y rester, pour la paix sociale. Qui n'a pas imaginé un jour disparaître totalement, s'extraire d'une vie décevante très éloignée des promesses qu'elle tenait à l'aube, faire croire à sa mort et se payer une deuxième chance à un autre endroit de la planète, à des milliers de kilomètres, sous un nouveau nom ?

Tout plaquer, couple, enfants, boulot, refuser un chemin balisé, sans surprise, imposé par je ne sais quels déterminisme, conventions, milieu social, fausse égalité en droits, et tracer sa propre route, rectifier soi-même la répartition des dons à la naissance ? Nous y songeons tous, à des périodes de tunnel comme l'existence oblige parfois à en traverser, de trahison, chagrin, deuil, angoisse, nous caressons secrètement cette idée et elle nous réconforte pendant un temps car il faut bien s'accrocher à quelque chose, se projeter ailleurs, même si ce n'est qu'en pensée, même si on sait bien sûr qu'on ne le fera pas pour de vrai. Lorca Horowitz, si. Elle l'avait fait, et selon les premiers éléments de l'enquête pas de manière impulsive, sur un « coup de folie », ainsi qu'on tente souvent d'expliquer l'inexplicable, mais en suivant à la lettre un plan très réfléchi, minutieusement élaboré par elle, qui exigeait patience et dissimulation, en d'autres termes une très puissante et effrayante maîtrise de soi.

D'après ce que j'interprétais de l'histoire, cette fille qui s'était fait embaucher comme dactylo grassouillette et mal dans sa peau aurait dû s'estimer bien heureuse d'avoir décroché du travail dans un cabinet d'architectes réputé au moment où son pays traversait une crise de l'emploi sans précédent, et s'en satisfaire pleinement puisque, ainsi que la majorité des articles le laissait entendre, les êtres dans son genre étaient destinés à servir les autres. Mais elle avait refusé ce postulat. Elle avait refusé, précisément, d'être grassouillette, mal dans sa peau et dactylo toute sa vie, avec éternelle gratitude et pieuse humilité. Elle avait trouvé cette distribution des rôles totalement injuste, avec d'un côté les Perales gratifiés des meilleures tirades, des plus beaux costumes, et elle toute boudinée dans sa tenue de soubrette. Elle s'était révoltée. Là où la plupart des gens étouffent leur chagrin, l'auteur du fait divers fait exploser le sien. Il le crie, lui donne une forme, comme l'écrivain d'ailleurs, à la différence que cette forme, chez le criminel, dès qu'elle jaillit à la lumière, se heurte à la loi et la transgresse. A priori chez l'auteur de livres, non. Encore que, mais c'est un autre sujet. L'histoire de Lorca Horowitz puisait peut-être son énergie dans une rébellion, elle avait pris sa source dans une douleur devenue tellement insupportable qu'elle avait débordé. C'est sans doute ce qui fascine dans les faits divers, ils sont le spectacle, donné par d'autres, de nos pires divagations, de nos utopies les plus condamnables, ils bafouent notre censure. L'inconscient du fait divers rejoint le nôtre, notre rêve secret d'anarchie. Dans celui de Lorca Horowitz, avait pris place de manière très naturelle la possibilité d'inverser l'ordre établi. Elle ne croyait pas au miracle, à la pensée magique, aux dons soudain tombés du ciel, au génie qui surgit d'une lampe à huile, elle savait qu'elle ne pouvait pas compter sur l'espoir. Elle ne pouvait compter que sur elle. Mais pour l'étrange secrétaire, s'offrir une autre vie que la sienne, ambition qui n'est pas obligatoirement répréhensible et résonnait très fort en moi, signifiait prendre une place déjà occupée, par la force, la trahison, le machiavélisme et les pires bassesses, la fin justifiant absolument, chez elle, tous les moyens. Dans ce sens, elle ne pouvait réussir sa vie qu'en en détruisant une autre.

Je voulais comprendre comment elle avait fait, comment elle avait mis en place son plan d'anéantissement sans éveiller le moindre soupçon, comment elle avait osé monter une à une, sans jamais reculer ni même hésiter, les marches qui la menaient droit à son crime. Je voulais comprendre pourquoi elle l'avait fait. Mais surtout en quoi cela me concernait. En quoi cela me touchait. Qu'avais-je à voir là-dedans ?

«Cette brune – devenue leur secrétaire de confiance – s'est transformée en une blonde manipulatrice piquant l'argent du boss et volant l'identité de sa femme», continuait l'article.

– Vous avez perdu du poids, Lorca, je ne me trompe pas ?

Bien vu, Rocío.

– Vous avez des soucis, c'est personnel ? Ou bien c'est un régime ? Si je peux me permettre, cela vous réussit.

Elle commence à soupçonner quelque chose, sans savoir quoi, preuve qu'elle me regarde encore. Le corps nous envoie des signaux d'alerte, mais on préfère souvent ne pas les entendre, ignorer qu'on est malade, qu'on n'est plus aimé. La Perales s'enhardit jusqu'aux conseils, ne se doutant pas que c'est une perche que je lui tends, l'endroit exact où je veux la mener si je réussis à ignorer les appels à la clémence de mon cœur nerveux, parce que c'est moi désormais qui commande, et rien n'est plus facile à diriger qu'une femme qui se croit libre.

– Ne vous vexez pas si je suis franche avec vous, mais peut-être devriez-vous en profiter pour modifier aussi votre façon de vous habiller, ma petite Lorca.

Je ne suis pas du tout vexée, Rocío, les vraies amies doivent se dire la vérité, et vous êtes mon amie, n'est-ce pas ?

– N'allez surtout pas penser que je n'apprécie pas le style très personnel, original, que vous avez, loin de moi cette idée, mais je me demandais si quelque chose de plus, comment dirais-je, sobre, ne vous mettrait pas davantage en valeur, vous voyez ce que... ?

Parfaitement. Je vois. Que parfois je vous fais un peu honte, señora, entre les murs de l'agence passe encore, on s'habitue à tout, même à la présence du matin au soir sans cloisons d'une Lorca Horowitz. Et puis les architectes sont des artistes, vous me le rabâchez assez, ils sont censés aimer l'excentricité, on peut toujours revendiquer auprès d'eux des choix indéfendables. Seulement dans les dîners en ville c'est plus dur à assumer, hein, ma douce ? Si je le pouvais, je resterais plus longtemps dans le rôle de l'imprimé à fleurs juste pour votre déshonneur personnel, Rocío Perales, pour vous regarder rougir d'embarras devant l'alcalde de la ville et toute la Junta d'Andalousie, je serais même capable de grossir le trait. Mais j'ai peur de ne plus être en mesure de m'arrêter. C'est ma seule chance de rester cruelle.

– Si vous voulez, je peux vous donner des adresses, ou même, tenez, Lorca, ça vous dirait qu'on fasse une petite virée ensemble à Séville, toutes les deux ?

Je n'attends que ça, vous ne devinez pas, querida Rocío, comme j'en rêve.

– Samedi par exemple ? Mais je ne veux pas empiéter sur votre intimité, sur le temps du week-end que vous consacrez forcément à votre mari ?

C'est donc ça. Malgré les convenances, le péril évident qu'il y a pour elle à pousser la porte précisément interdite, elle le sait d'autant plus qu'elle a condamné l'accès à la sienne, elle ne peut pas s'empêcher. Rocío Perales fantasme sur Julián, elle aussi aspire à me le voler. Les deux autres lui ont tout craché.

– Avec le métier qu'il fait, il travaille peut-être le samedi ? Je ne veux pas être indiscrète mais j'ai remarqué que vous ne portiez plus votre alliance ces derniers temps, les trois anneaux que vous possédiez. Évidemment cela ne veut rien dire, tous ces signes anciens n'ont pas toujours grand sens dans le monde d'aujourd'hui, ce qui compte c'est surtout l'intensité avec laquelle on est relié à l'autre, celui qu'on aime, et vous m'aviez l'air particulièrement éprise, ma petite Lorca.

La pauvreté du vocabulaire éclaire l'indigence de l'esprit. Du sens, cela en a pour moi, terriblement, l'alliance sacrée, Julián, ma seule certitude indéboulonnable en ce monde, je le répète. Je ne suis pas éprise de Julián, je suis prise dans Julián. Il faut faire attention aux mots qu'on emploie, ce n'est pas n'importe quoi les mots, on ne joue avec que si on en a les moyens, la parfaite maîtrise du langage, et moi, dans ce domaine, j'ai fait des progrès spectaculaires, j'en suis la première effrayée. À cause d'une phrase comme celle-là je pourrais devenir vraiment furieuse si je n'exerçais pas un contrôle puissant et salutaire sur moi-même. Car je peux l'affirmer maintenant, c'est une injustice qu'une femme comme Rocío Perales, qui possède sa barrera à l'ombre à la Maestranza et des entrées dans toutes les casetas sur le campo de feria, une femme dont les jambes sont à la limite du sublime, soit aussi inconsistante, si on creuse un peu. C'est moi qu'elle va finir par mettre dans l'embarras, moi qui n'oserais plus sortir avec elle. Je suis prise dans Julián, que celui qui doute de mon amour fou se jette la première pierre, mais l'époque n'est plus à l'absolu. Moi, Lorca Horowitz j'étais faite pour ces temps immodérés où la déraison l'emportait, où on prenait le pouvoir, perdait la tête, tuait, mourait par amour, où on était cruel, dément et tyrannique par jalousie. J'étais faite pour

67

Shakespeare et Orson Welles. Et je me retrouve chez Rocío Perales, ses tailleurs, brushings, séances de fitness, manucure, son angoisse sourde qu'un jour le señor la trompe et surtout que ça se sache, son angoisse sourde qu'un de ses enfants blonds sorte du cadre, déçoive ses projections, son angoisse sourde de perdre sa place, son statut, Rocío Perales, sa barrera à l'ombre, elle qui n'a jamais été aficionada, fait à peine la différence entre une naturelle et un derechazo. De ne plus trouver son reflet si irrésistible.

Comment une femme comme elle pourrait comprendre pour quelle raison j'ai retiré mon alliance, pourquoi j'ai tenté d'arracher ces maudits anneaux de ma vie, qui m'ont ouvert la peau jusqu'à l'os, imprimant à jamais une cicatrice profonde ? Il m'est impossible de concevoir que Julián arrête un jour de m'aimer. Cette phrase contient toute ma douleur, Séville contient toute ma douleur, cet endroit précis, là-bas, sur le pont de Triana, où j'ai tant envie de mourir, car continuer de vivre c'est continuer d'être trahie à chaque seconde, par celui à qui je suis naïvement restée fidèle. Moi Lorca Horowitz, conçue pour la vie, pour la construction, la lumière, le désir. Pourquoi il y a des gens qui ne voient jamais leurs rêves détruits, et pourquoi à moi on me les démolit ? Pourquoi les Perales s'en sortent toujours indemnes, et pas moi ? Mes rêves ne sont pas moins légitimes, et sincères. Jamais je ne pourrais admettre que Julián cesse un jour de m'aimer, qu'il prononce les mêmes mots exactement à une autre, l'invite dans ces lieux où il m'a conquise, débitant des formules identiques, appliquant ses vieilles recettes. Julián lâche et menteur, buvant du cava au bar de l'Alfonso XIII avec une femme qui n'est pas moi et ne me vaut pas, je le sais bien mais ça ne répare rien, alors que je meurs à petit feu. Jamais je ne pourrai admettre que Julián jouisse pendant que je souffre. Parce que si, un instant, juste un instant, j'envisageais l'hypothèse la plus insoutenable, Julián redorant son estime de soi en couchant avec une qui n'est pas moi, qui suis une pure, dernière représentante du code moral, je me mettrais à hurler. Je sens approcher l'heure où je me transforme, mais il ne le faut pas, c'est encore trop tôt, les conditions ne sont pas réunies et la lune pas assez pleine. Que Julián pose ses doigts d'olivier sur une autre peau que la mienne est un monstrueux déraillement. Une souillure. Pas toi, Julián, pas nous.

Lorca, calme-toi, ce n'est qu'une hypothèse, comme on joue à se faire peur. Julián n'arrêtera jamais de t'aimer, c'est une histoire plus grande que vous, plus d'une vie vous sera nécessaire pour en surligner les contours. Ce que la cervelle tout embuée de plans de financement, de devis de construction et de toilettes coûteuses de Rocío Perales est évidemment incapable d'embrasser.

C'est très simple, señora, c'est précisément parce que j'ai minci, mes doigts aussi. J'ai peur de perdre mon alliance.

Il faut bien que je dise quelque chose. Le bonheur diminue à mesure que la vérité augmente.

J'avais vingt-six ans quand je suis partie à Séville rejoindre l'homme que j'aimais. Auparavant, j'avais vécu un peu plus d'un an avec un acteur sans succès, colérique et violent, qui me faisait payer ses frustrations en m'humiliant constamment, en privé et en public. L'histoire s'était finie dans les cris et le verre brisé. Il avait envoyé son poing dans une fenêtre de mon studio le jour où j'avais enfin eu le courage de le foutre dehors. J'avais vingt-deux ans, c'était ma première expérience de la vie commune. Elle avait été à la hauteur de mes attentes. Petite, le soir dans mon lit avant de dormir je m'étais toujours inventé des histoires dont j'étais l'héroïne adulte. J'avais imaginé des centaines de scénarios possibles de l'avenir. J'avais décidé que j'aurais une vie dérangée, une vie bruyante et malheureuse. C'était l'idée que je me faisais du contraire de l'ennui, qui était ma plus grande épouvante, et j'ai toujours fait du mieux que j'ai pu pour le tenir à distance. Pas question d'étriquer mon existence, de l'assiéger avant l'heure, pas question qu'elle devienne immobile, que se succèdent les résignations silencieuses, les contrats signés avec le désenchantement, je voulais l'écrire en grand, avec de l'inconfort et du mouvement, des drames amoureux, du recommencement permanent. J'ai toujours su qu'il me serait très difficile de rencontrer un homme qui comprendrait ça, qui partagerait cette apologie du roulis avec moi pour les siècles des siècles. Je l'ai cru et tenté tout de même, à plusieurs reprises, parce que chaque fois que je tombe amoureuse c'est tout entière, de manière exclusive et fidèle, j'ouvre tous les champs des possibles, ne demandant qu'à voir mes certitudes s'effondrer. Et même si la beauté d'une histoire ne peut être jugée à sa durée, pas plus qu'une œuvre d'art au temps que l'artiste a passé à la réaliser, je me suis toujours lancée dans l'amour sans fixer de limites, elles viennent bien assez vite toutes seules. Je me suis cognée dedans, souvent, douloureusement.

Je n'ai pas rencontré cet homme, j'ai écrit des livres. Et en 2013, quand j'ai découvert l'affaire Lorca Horowitz, il m'arrivait de me dire que je finirais peut-être mes jours dans un manoir en Cornouailles, au cœur d'un décor brutal, sans cesse livré aux intempéries, seule, absolument, face à la mer. Ce n'était pas une vision d'échec, ni de réussite, puisque je n'ai jamais placé la vie ou l'amour sur le terrain de la performance. La solitude est mon baume. C'est mon baume et ma chaîne, je suis empêtrée dans cette contradiction depuis très longtemps, désir de stabilité conventionnelle d'un côté, mari enfants maison, besoin irrépressible de prendre le large de l'autre. Mais en 1998, quand je suis arrivée calle Antonia Díaz, une rue qui longe les arènes et débouche sur le Guadalquivir, je n'avais évidemment pas conscience encore de tout cela. Dans ma famille d'exilés, on n'avait jamais changé de pays par amour. J'étais la première à prendre une telle décision. Je venais de publier en France mon premier roman, passé totalement inaperçu, et je m'étais persuadée que ce n'était pas grave. Tout ce qui importait était de vivre au soleil avec celui que j'épouserais quelque temps plus tard, ces sons nouveaux qui entraient dans l'appartement à toute heure, en même temps qu'une indescriptible chaleur, une lumière aveuglante, les sabots des chevaux sur les pavés, les cloches de la Giralda, quelqu'un frappant dans ses mains, une complainte flamenca surgie de nulle part, les aboiements des chiens, les olés et les silences de la Plaza de Toros de la Real Maestranza, l'odeur puissante une fois par an de la fleur d'oranger et de l'encens des processions, celle de la friture du restaurant d'en dessous, la couleur rouge des premières pluies après des mois de canicule, le détroit non loin, la Méditerranée, ces routes de campagne que nous sillonnions à moto pour rejoindre la plage. Je me croyais libre et victorieuse.

Si mes calculs étaient bons, Lorca Horowitz devait avoir à peu près le même âge. C'était quatre ans avant qu'elle soit embauchée chez Perales Architectes, et mes informations sur cette période antérieure de sa vie étaient minces. Tout ce que je savais au terme de mes premières semaines de recherche sur Internet, après lecture des articles, écoute et visionnage des émissions qui lui avaient été consacrées, c'était qu'elle venait d'un milieu très modeste et avait été élevée par sa mère, ce qui n'avait rien d'exceptionnel et ne la prédisposait pas plus qu'une autre à devenir une folle furieuse indifférente à la souffrance d'autrui. Le reste se résumait essentiellement à son physique, certaines données que l'on pouvait considérer comme objectives, à savoir qu'elle était brune et pesait soixante-douze kilos et demi, même si je me demandais bien de quelle source provenait cette affirmation précise sur son poids. Et d'autres complètement subjectives, comme le fameux mal dans sa peau. Il n'y avait pas grand-chose de plus. Des photos bizarrement floues, prises on ne savait où par on ne savait qui, montraient une jeune femme brune, les cheveux mi-longs, frisottés, avec une frange, dans une de ces robes à fleurs sans manches qui sont toujours démodées quelle que soit l'époque. Elle était bien en chair, ça c'est sûr, avec des plis dans le menton et des bras adipeux, de bonnes joues que son large sourire gonflait davantage. Parce qu'elle souriait franchement, la jeune femme de la photo, et semblait assumer sans effort ses bourrelets et son absence d'intérêt vestimentaire. Elle me rappelait un peu ces Américaines obèses qui suivent des thérapies comportementales d'acceptation de soi et viennent témoigner à la télévision, dénuées de tout complexe.

De nombreux journaux avaient reproduit ce cliché sans indiquer d'où ils le tenaient, le publiant à côté de celui de la femme blonde, mince et sophistiquée, au regard de tueuse, que toute la presse avait sorti dans un premier temps, et qui figurait en deuxième position dans la page *Elle* info. Le contraste était forcément saisissant, comme dans les publicités pour des régimes, des lotions capillaires, des crèmes vantant tout et n'importe quoi, avec illustrations à l'appui, avant, après. On sait bien que c'est un mensonge, un trucage. Dans le cas de Lorca Horowitz, les deux femmes n'avaient tellement rien en commun qu'il était difficile de croire qu'il pût s'agir de la même.

Le samedi, la Perales m'entraîne chez plusieurs petits créateurs près de la Macarena, où je découvre qu'elle possède un pied-à-terre, pour ses virées shopping et ses obligations mondaines à Séville. C'est devenu un quartier réhabilité et tendance, très désirable, où je m'imagine m'installer quand j'en aurai les moyens. Ce sera plaisant alors de se poser en terre connue, favorable, puisque Rocío, que je suis avec une reconnaissance servile de boutique en boutique, que je ne cesse de remercier l'œil humide, m'ouvre en une après-midi à la fois ses secrets de féminité et les portes d'un réseau qu'elle a sans doute mis des années à tisser. Parfait. Je n'ai pas son rapport tranquille au temps, j'en ai trop passé, trop perdu, à manquer d'amour.

— L'important c'est d'être unique, ma petite Lorca. De ne ressembler à personne qu'à vous.

Les gens qui ne doutent pas m'émerveillent, comme un paysage limpide, un aquarium devant lequel il est régénérant de se poser parfois, pas trop, le temps de se vider l'esprit. Elle est si sûre de soi qu'elle me livre les règles fondamentales de l'art vestimentaire comme elle échangerait avec moi d'insignifiantes recettes de cuisine, car elle a le cœur ample, sans a priori, ouvert soi-disant à d'autres goûts que les siens, et ne pressent pas une seconde qu'elle va s'intoxiquer avec. J'avais cru jusqu'à maintenant le souci de l'apparence réservé soit aux très pauvres, pour cacher, soit aux très riches, pour montrer, cru la coquetterie réservée à ces derniers en particulier. Je l'avais toujours envisagée comme accessoire, à tort. Je découvre que l'habit est une stratégie. C'est loin, très loin, de l'éducation que j'ai reçue.

Ma mère était le contraire de l'élégance. Elle n'avait de féminin que son courage et ses rêves déçus, son désir permanent d'être ailleurs, la peur de l'opprobre. Elle ne cherchait pas à plaire. Elle se cachait, fuyait le regard des autres, depuis que mon père l'avait abandonnée. Ma mère s'habillait et m'habillait comme elle pouvait. Une fois par an, elle allait faire le plein, comme elle disait, dans un magasin d'usine de Cadix qui vendait le prêt-à-porter des années précédentes. Elle revenait avec une paire de chaussures et quelques vêtements pour moi, exclusivement fonctionnels et en général trop grands, pour les faire durer. Je les portais jusqu'à ce qu'ils ne soient plus à ma taille. Sa seule exigence était qu'ils soient décents, bien coupés, plutôt en coton, et elle préférait les couleurs qu'elle trouvait gaies mais discrètes, c'est-à-dire les pastels. Pour le reste, elle n'avait aucune idée, aucun goût, elle ne s'est jamais penchée sur la question, ne s'est pas autorisée à le faire, croyant qu'il s'agissait d'un domaine réservé à d'autres, comme elle s'est bannie toute seule des endroits où elle pensait ne pas avoir légitimement accès, la pauvre biche. Elle n'a jamais bu une coupe de vrai champagne, ni même de cava d'ailleurs, au bar de l'Alfonso XIII.

J'ai longtemps porté ses complexes. C'est Julián qui m'a fait franchir le pas, il adore les symboles et la vanité. Et voilà, quand je pense à ma mère, si petite, si cassable, qui n'aura jamais accès aux pages de mon histoire, qui ne saura jamais ce que je deviens, quelle brillante carrière, inespérée, je suis en train de mener, quelque chose de Julián revient au galop perturber le fil alors que je lutte pour le propulser dans le néant. C'est le point fragile par où il entre. Julián, c'est la mémoire enfuie de ma mère. Personne ne doit savoir, jamais.

Je trafique ma première facture à l'insu de Pilar et de María del Mar. J'ai désormais compris le fonctionnement de toute la comptabilité et repéré les endroits où une fissure était praticable. Je tente le coup. Mon premier essai est si modeste que je ne risque pas grand-chose, au pire je pourrai toujours plaider l'étourderie. J'attends un certain délai. Comme il ne se passe rien, je récidive, respectant scrupuleusement les règles que je me suis fixées dès le début et que ceux qui ont déjà détourné de l'argent connaissent bien, de petites sommes, toujours, jamais les mêmes, jamais aux mêmes dates, et sur des comptes différents. Fuir la régularité, multiplier les destinations, les points de chute. J'ouvre des comptes dans plusieurs banques à mon nom, à ceux de ma mère et de Julián. Pour eux, j'ai une procuration en bonne et due forme, avec photocopies de leurs papiers d'identité et déclarations sur l'honneur. Je suis douée pour les signatures. Je maîtrise aussi sur le bout des doigts la dernière version de nombreux logiciels, suis capable d'établir tous les contrats, devis et documents imaginables maintenant. J'utilise les certificats médicaux de ma mère, parfois je mets le nom de Julián à sa place. La tête qu'ils font dans les administrations ! Ils me plaignent, me trouvent courageuse de porter ainsi ma mère et mon mari sans jamais geindre, dignité, sens de l'honneur. Je prends un air affligé mais en réalité je suis heureuse de ce recyclage. Je ressens une fierté exaltée de constater que les preuves attestant de la maladie de ma mère puissent servir à la réalisation d'un projet, ne soient pas seulement la reconnaissance impuissante de la perte progressive de ses facultés cognitives et de sa mémoire, putain de saloperie.

L'affaire est rodée. Ma technique fonctionne d'autant mieux que Perales Architectes est en progression constante et qu'il est de plus en plus facile pour moi de faire passer de fausses notes de frais, des factures à des fournisseurs imaginaires et autres relevés bidon. Ça paraît tellement simple qu'il serait tentant de s'emballer, de passer un cran au-dessus. C'est justement l'erreur que commettent ceux qui confondent l'ambition et la gourmandise. Ne pas se faire prendre donne un sentiment d'impunité très grisant mais très trompeur et moi, en ce moment, je me fais violence pour rester humble. Parce que dans le même ordre d'idées, je me croyais la plus belle de toutes les femmes, l'unique, quand Julián m'aimait, à faire ployer des têtes. Même si je préfère ne pas m'étendre sur ce point, à cause de la douleur, ce qui est d'ailleurs mon droit le plus absolu, je fais ce que je veux avec mon chagrin. Pour revenir à l'escroquerie organisée, quand ça paraît simple c'est parce qu'on maîtrise parfaitement son sujet, dans un cadre précis qu'il est dangereux de vouloir élargir, juste pour le goût gratuit du risque et un appétit qui, plus il est rassasié, devient insatiable, ce qui est une définition de la cupidité et aussi une façon inconsciente de vouloir se faire attraper. Comme quand on laisse traîner des preuves de son adultère. L'imprudence est toujours confondante. Derrière, il y a le désir narcissique d'être démasqué. Je ne le veux pas, pas tout de suite. Je n'ai aucun mal à résister à la gourmandise, j'ai une volonté d'acier. J'ai déjà perdu huit kilos, je suis descendue à soixante-quatre et demi. C'est spectaculaire mais je vise un autre objectif, j'ai l'ambition, encore plus narcissique, de frapper plus haut, plus fort.

Personne ne détecte rien. Avec mes premiers revenus extraordinaires, je me paie des soins, des traitements revitalisants. J'éclaircis légèrement mes cheveux et opte pour une coupe plus courte, même si ce n'est pas encore ostensiblement le carré plongeant de Rocío Perales qu'on connaît bien dans les rues de Carmona. Il faut œuvrer en subtilité et sous les couleurs de l'hommage, une patronne si charismatique que ses employées cherchent à lui ressembler, le mimétisme du chien et du maître, bien qu'il arrive toujours un moment où on se demande lequel a commencé à déteindre sur l'autre. Bref, comme une citation cinématographique. Rocío Perales possède d'ailleurs quelque chose d'hitchcockien, elle a la blondeur idéale de la victime et ferait un magnifique cadavre. Elle aurait beaucoup plu à Julián. Idée totalement insoutenable.

La perte de poids justifie à peu près tout. C'est le prétexte parfait pour expliquer aux filles du bureau, le genre à s'extasier devant la moindre variante de vernis à ongles, que je suis obligée de me rhabiller des pieds à la tête. Je flotte, vous comprenez, plus rien ne me va, c'est aussi simple. Bientôt on se courbera sur mon passage, je pourrai entrer boire un verre dans n'importe quel palace. C'est moi qui ferai ployer les têtes.

Au bout de plusieurs semaines de recherche, je n'en savais guère plus sur la vie de Lorca Horowitz avant qu'elle entre chez les Perales et dévaste leur existence, mais ma conviction était que rien dans son action n'avait été laissé à l'improviste. Selon moi elle avait ourdi son plan au détail près, avec une minutie et une détermination qui faisaient froid dans le dos. Elle s'y était tenue jour après jour, pendant des années, implacablement. Je pensais également qu'elle avait agi sans complicité aucune et monté toute sa stratégie dans une solitude absolue, un peu comme on laisse germer en soi une nouvelle idée de roman, si fragile, si peu détectable au début, si délirante ensuite, qu'on ne peut la partager avec personne. Rien en revanche ne permettait d'affirmer que l'étrange secrétaire avait prémédité chacune de ses étapes avant d'être engagée chez les Perales, que son crime était préparé de longue date et cousu d'avance, qu'elle s'était fait embaucher au cabinet d'architectes, comme elle aurait pu tout aussi bien le faire ailleurs, dans le but délibéré de détruire la vie de quelqu'un, ainsi qu'il était quasiment suggéré sur la page de l'hebdomadaire français et d'un certain nombre de journaux ibériques, comme si peu importait la personnalité ou l'identité des victimes qui s'étaient juste trouvées au mauvais moment au mauvais endroit sur le chemin de Lorca Horowitz, psychopathe en quête de proie.

Je n'adhérais pas à cette hypothèse. Quelle blessure atroce avait poussé Horowitz à agir ainsi ? Quelle jeune femme apparemment brune et ronde avait-elle été avant son arrivée à Carmona ? Quelle enfant ? À quoi rêvait-elle ? Avait-elle des amis ? Venait-elle suivre les processions dans les rues de Séville pendant la Semaine Sainte et danser à la Feria ? Je ne pouvais pas m'empêcher de penser que j'aurais pu à l'époque la croiser en bas de chez moi, et peut-être l'avais-je fait, ou quelque part sur la côte où nous allions souvent les weekends. Mon mari sévillan m'avait fait découvrir une petite plage de sable blanc, juste en face de Tanger, entre Barbate et Tarifa, avec une dune et les ruines d'une cité romaine. Je m'en suis souvenue en lisant dans un journal espagnol que l'étrange secrétaire était originaire de Vejer de la Frontera, même si ailleurs il était question de Conil de la Frontera, qui n'est pas très loin. De petites villes au bord du détroit, dans ce coin que j'avais tant aimé et complètement rayé de ma mémoire. C'est en téléchargeant sur mon ordinateur une carte très détaillée de l'Andalousie que j'ai revu soudain les routes de campagne brûlées sous un soleil de plomb, traversées par des vipères rouges, les taureaux au loin parmi les oliviers, les heures passées sur la moto à serrer la taille de l'homme qui était alors tout pour moi, avant d'arriver à la crique cachée, somptueuse, dont j'ai retrouvé le nom, Bolonia.

Cela m'a fait un effet terrible de me projeter à nouveau à Bolonia, où j'avais situé à une période de ma vie le centre de mon monde, réel et fantasmé, où j'avais même placé le décor d'un roman qui n'a jamais été publié, c'était l'époque où tous les éditeurs me renvoyaient poliment ma copie, malgré ses qualités votre manuscrit n'a pas été retenu par notre comité de lecture, etc. Mais surtout d'y transférer cette femme mystérieuse à mes côtés. Issue d'un milieu très modeste, si l'on en croit les journaux, Lorca Horowitz avait dû, comme moi, s'imaginer d'autres vies, fermer les yeux, dynamiter le décor alentour, le lotissement d'ouvriers agricoles et de pêcheurs où elle habitait avec sa mère, rêver d'un homme qui vienne l'extraire de là, un homme qui défie ses peurs et l'enlève, rêver de son propre rapt. Je l'avais peut-être croisée mais ne l'avais pas vue, pas plus que je n'avais perçu un instant qu'une habitante de ce petit paradis où venaient s'échouer continuellement des cadavres de Subsahariens déversés par des pateras pût aspirer à fuir de là par n'importe quel moyen. Même si je découpais tous les jours dans *El País* l'article recensant le nombre de morts la veille en tentant de traverser le détroit. Même si une fois nous avons surpris, mon mari et moi, un naufragé apeuré dans les buissons, qui attendait la nuit pour pouvoir bouger et à qui nous avons donné à manger et à boire. Même si ses yeux vifs m'ont hantée quelque temps. Je ne voyais pas ce qui aurait été susceptible de salir ma version du bonheur, au côté d'un homme dont j'attendais mon premier enfant et avec qui je n'excluais pas alors de passer toute mon existence.

Quinze ans plus tard, je vivais à Paris et avais depuis longtemps balayé cette région de ma mémoire, la couleur de la terre andalouse, la dune de Bolonia, l'appartement sans climatisation que nous occupions sous les toits, où notre fils avait passé ses premiers mois à côté d'un ventilateur, avec une couche pour tout vêtement, et les gitanes de Séville qui disaient la bonne aventure au coin d'Antonia Díaz, dans ce quartier de l'Arenal où j'ai habité presque quatre ans pendant lesquels j'ai systématiquement refusé qu'elles me lisent les lignes de la main pour me prédire combien j'allais souffrir en amour. J'avais quitté l'Espagne et cet homme qui, depuis des années, ne m'adressait plus la parole que par l'intermédiaire de son avocat pour le moindre échange concernant notre fils, qui vivait avec moi. Je n'allais plus aux corridas ni aux spectacles de flamenco, ne mangeais plus de tapas, ne dansais plus la sévillane, ne fumais plus, n'étais plus supportrice du Betis, n'enseignais plus le français à l'institut situé alors en plein cœur du barrio de Santa Cruz et qui avait fermé ses portes depuis, avais-je appris. J'avais arrêté de porter des bijoux et tenues ethniques, cultivant un faux air à la Frida Kahlo. Au terme d'un régime sévère, j'avais perdu plus d'une dizaine de kilos, accumulés en quatre ans d'alimentation grasse et d'amour sédentaire. Cet amour s'était dissous, comme la jeune femme que j'avais été.

Pourtant, j'étais convaincue qu'on ne repartait pas de zéro. On ne refaisait pas sa vie, on la continuait, autrement, d'acte en acte. J'avais poursuivi la mienne dans un nouveau décor, avec un costume différent, mais aussi radicale que j'avais été, il y avait bien quelque chose de moi qui n'avait pas dû changer. Je ne croyais pas possible de tout renier. Cela aurait été comme plonger dans un puits sans fond, s'abîmer à jamais, sans aucune possibilité de se retenir à quelque chose. Il y avait bien toujours un geste qu'on gardait malgré soi, une façon de dormir la nuit, de glisser instinctivement sa main sous l'oreiller comme quand on était enfant, un réflexe de survie, auquel s'accrocher au bord du puits. Il y avait forcément un geste de Lorca Horowitz qui venait de loin, de la côte, du détroit où elle avait grandi, même si sa transformation était presque plus spectaculaire qu'un changement de sexe. Une part d'elle, intime, profonde, issue probablement de l'enfance, nourrie de la peur, de l'espoir, ou puisée dans une blessure narcissique incurable, avait dû rester en dépit de tout à l'intérieur de l'étrange secrétaire des Perales. J'en étais sûre. Et j'ai pris conscience que c'était cette part d'elle qui m'intéressait plus que tout. C'était peut-être pour la retrouver que j'avais entrepris cette quête.

J'ai repensé à Emmanuel Carrère quand, dans *L'Adversaire*, il part sur les traces de Jean-Claude Romand et tente d'imaginer ce que celui-ci pouvait bien penser lorsqu'il passait ses journées dans sa voiture à rouler sur l'autoroute ou à stationner des heures sur des parkings alors que son entourage le croyait éminent médecin à l'OMS, s'il éprouvait l'angoisse d'être démasqué ou la jubilation d'avoir dupé tout le monde. À l'évidence, c'était cet élément de son crime qui avait déclenché le désir de l'écrivain, l'inconcevable mensonge, plus que le massacre collectif qui en était l'aboutissement. Ce fait divers était entré dans l'existence de Carrère par le biais de cette image, un homme seul dans sa voiture pendant des heures, des jours, des années, qui constituait sa seule vérité puisque tout le reste était faux. Et cette image le renvoyait à une autre, où il figurait, où c'était lui, Emmanuel Carrère, qui tenait le volant. Même s'il ne l'avait pas vue tout de suite. C'était ma conviction. J'avais tenté de la faire partager à mes étudiants. Jean Genet quant à lui, dans le meurtre des sœurs Papin, s'était reconnu en bonne humiliée, souillant les robes de Madame. Répondant à un critique qui lui faisait remarquer que de vraies bonnes ne parlaient pas comme celles de sa pièce, il avait répliqué: «Si j'étais bonne, je parlerais comme elles. Certains soirs.»

Je me demandais quelle était la représentation de Lorca Horowitz où je me retrouvais, certains soirs. C'est alors que j'ai relu la dernière phrase de la page *Elle* info. «Détail troublant, la police a découvert dans son grenier les vêtements et photos de sa vie d'avant, soigneusement empaquetés: les preuves d'une existence passée que l'étrange secrétaire aurait voulu effacer...» Ce détail, sans doute, disait bien plus de Lorca Horowitz que toutes les photos comparatives brandies par la presse. De Lorca Horowitz, et peut-être aussi de moi.

Un dimanche par mois je vais voir ma mère, bout de chose recroquevillée sur du vide, à côté d'une fenêtre. J'apporte des chocolats, des pâtisseries, n'importe quoi, qu'elle ne mange jamais. Avant, je finissais par tout bouffer au cours de l'après-midi, pour résister à l'angoisse et à la fureur de démolir cette chambre qui pue la laideur et l'abandon, d'étouffer ma mère sous son oreiller d'hôpital et en finir avec ce non-sens. J'ignore si toute souffrance est inutile. C'est une vraie question et je n'arrive pas à trancher une réponse dans le vif de mon expérience, je sais en revanche que celle de ma mère est totalement vaine, gratuite, aveugle, cruelle. Elle ne mène nulle part. Elle est juste là pour prolonger sur terre un séjour déjà pas vraiment enchanté, pour rappeler, au cas où on ne l'aurait pas compris, pas à elle puisqu'elle n'est plus consciente de rien, même de sa douleur, mais à moi, l'absurdité totale de notre condition. Une vie entière effacée, les caresses de l'être aimé, avoir un jour été reine, s'être crue immortelle sous le poids du corps adoré, avoir imaginé vieillir auprès de son cou et l'avoir peut-être fait, s'être réveillée tous les matins pendant des années à côté du bonheur sans le savoir, avoir vu son visage en première image de l'aube, respiré sa peau ensommeillée, tout cela disparu, non comme un pays perdu qu'on pleure à chaque heure mais comme une terre dont on ne sait plus qu'elle a existé, même les mensonges, les traîtrises, les désillusions, rayés de la carte, plongés dans un trou noir dont on ne remonte pas. Et pour cette raison il m'arrive d'envier le sort de ma mère.

Les confiseries et autres friandises pourrissent désormais sur sa table de chevet car je suis à la diète et ne m'accorde aucun écart. L'exigence est une règle qu'on s'impose d'abord à soi, et moi, je balaie toujours devant ma porte. C'est ce que je raconte à ma mère, entre autres. Je lui débite plein de trucs pendant ces heures d'épouvante, la discipline de fer, les menus soupesés aliment par aliment, je parle comme si j'étais une autre et parfois ma voix me fait sursauter. Je suis fière de montrer à ma mère mes progrès, les tailles perdues, le tour de mes cuisses. Regarde maman même la cellulite, même le ventre, grâce

au sport, moi qui ai toujours éprouvé une sainte
aversion pour le sport, mais j'ai suivi les conseils
de ma patronne, Rocío Perales, tu sais maman,
la dernière fois je t'ai apporté ce journal avec
son portrait en dernière page. Une blonde écla-
tante avec un très beau corps, si tu voyais, un
corps grandiose pour son âge, elle s'entretient
beaucoup et fait de la gym en salle trois fois par
semaine, à l'heure du déjeuner et le soir. Je l'ai
découvert récemment et j'ai décidé de suivre son
exemple car Rocío Perales est toujours de bon
conseil pour moi, maman, j'aimerais tant que
tu saches quel être bienfaisant elle est et comme
ma vie s'est embellie depuis qu'elle y occupe
une place centrale. Dommage pour elle, dans
quelque temps, malgré ses crèmes, ses soins, ses
cours de fitness à haute dose, ses minijupes gro-
tesques et ses portraits dans les journaux, ce ne
sera plus qu'une vieille peau parcheminée qui se
cachera pour mourir seule. Parfois ma voix me
fait peur.

Devant ma mère j'ai pris l'habitude, depuis
que je ne compte plus les dimanches, de me dés-
habiller. Souvent, je termine nue. Il fait beaucoup
trop chaud dans ces hôpitaux, encore pire que
dehors, c'est dire, et la fenêtre près de laquelle
ma mère semble traîner ses jours, qui donne sur
un parking, ne s'ouvre pas. Je n'ai aucune honte à

avoir devant ma mère, la douce biche. Si une personne a connu mon corps dans toutes ses phases c'est bien elle, et les moins reluisantes, alors il est juste qu'elle puisse l'admirer dans sa gloire balbutiante. S'il y avait encore une connexion entre les images qu'elle voit et son cerveau, elle pourrait se demander qui est cette femme à poil devant elle un dimanche par mois dans sa chambre, elle serait en droit de le faire, même si elle ne le fait pas. Ma mère ne sait plus qui je suis. Évoquer Julián alors devient terriblement tentant, quand je suis nue je veux dire. Ma mère, pauvre oisillon, a toujours été d'une pudeur chronique, mais elle ne peut plus se défendre, ni me dominer physiquement pour me faire taire, ni me frapper à coups de tisonnier comme c'était son habitude quand je répondais effrontément à l'adolescence, ni se boucher les oreilles, et elle est obligée d'écouter.

Je lui présente des excuses de la part de mon mari chéri pour son absence, parce qu'il aurait beaucoup aimé venir et l'embrasse, lui adresse ses plus tendres pensées, son meilleur souvenir, et autres formules surannées qu'elle aimait bien, avant. Julián t'embrasse, un baiser sur chaque joue, avec ses belles lèvres au-dessus desquelles ces derniers temps il a laissé pousser une fine moustache qui irrite ma chair dans les zones les plus sensibles. Elle est bien placée, ma mère, pour savoir que j'ai l'épiderme particulièrement délicat au creux des seins et à l'intérieur des cuisses, elle en a sûrement passé des heures à me badigeonner ces endroits précisément à l'huile d'amande douce, car elle a toujours été avisée, avec un sens aigu du sacrifice. Elle devinait qu'un jour ça pourrait servir, au bonheur du thanatopracteur.

Il faut vaincre la répugnance que m'inspire désormais son odeur. Son odeur d'oubli. C'est à cause de son travail, tu comprends, maman, si tu crois que la mort se repose le dimanche, tu te trompes, ce serait plutôt le contraire, c'est un jour où elle a tendance à faire des heures sup-plémentaires. La solitude sans doute, l'absence de hiérarchie, d'autorité, tous ces gens qui, libérés de leur cadre professionnel, se prennent en pleine poire leur manque d'amour, comme une évidence, je sais de quoi je parle. Tous ces êtres tenus entre les bras de personne depuis des années, roulés en boule dans leur lit, pelo-tonnés contre rien, c'était quand le dernier geste tendre ? C'était quand la tête posée dans le cou, les doigts glissant le long des courbes, les mots susurrés à l'oreille, la complicité, les fous rires, l'ultime fois ? Tous ces désarrois, ces échecs, bref, mon Julián a du boulot, le dimanche, maman, de l'orfèvrerie même, de la haute cou-ture ce jour en particulier, car les défunts sont plus tristes et demandent davantage de soins. Il faut leur redonner bonne figure, faire comme s'ils allaient bien. Mais la prochaine fois, s'il n'est pas d'astreinte, oui, peut-être, bien sûr, il viendra, il aimerait beaucoup, il m'a dit surtout embrasse bien ta mère. Tu vois, nous, ça va, toujours l'amour fou, on a un nouveau canapé maintenant, en bois noirci, velours beige rosé, entièrement capitonné, tu verras quand tu viendras. C'est du Velázquez. Je voulais aussi la bergère et la méridienne, mais Julián pense que c'est plus sage d'attendre un peu, tu sais qu'il est plus raisonnable que moi, il m'apaise.

Ma mère, je le sais, a envie de dire qu'elle aimerait bien être grand-mère, il est temps, quand même, de faire un enfant après toutes ces années, vous avez une bonne situation l'un et l'autre, qu'attendez-vous. Elle est suspendue à ce moment comme au bout d'une corde depuis que mon père est parti, avec qui, où, pour fuir ou trouver quoi, pendant longtemps j'aurais vendu mon âme pour une réponse à une de ces questions. Ma mère n'ose pas, toujours cette gentillesse innée chez elle, son respect de l'autre, son absence de jugement. C'est ma vie, elle ne s'immisce pas, n'a jamais émis de réflexion sur les garçons affligeants que j'ai ramenés à la maison avant Julián, peu nombreux heureusement, et qui n'ont aucune chance d'avoir évolué

favorablement. De son temps il fallait se repro-
duire, c'était une condition non négociable au
mariage et sans doute nous trouve-t-elle un peu
égoïstes, mon adoré et moi, même si c'est elle en
premier que cette idée blesse et salit, ou alors
c'est qu'il y a un problème. Elle préfère ne pas
savoir.

Quoi qu'il en soit, je dois refaire entièrement
ma garde-robe. En premier, j'ôte les breloques
et lisse la surface, finis les imprimés, les tons
criards. Je plie soigneusement le tout et le range
dans des boîtes impeccables, que je suis allée
acheter dans une boutique haut de gamme car je
voulais de la qualité, de la longévité, du carton
fait pour durer. J'ai décidé de les stocker dans
mon grenier qui est très propre et ne prend pas
la poussière. J'y tiens beaucoup, parce que je
ne supporte pas, mais vraiment pas du tout, la
poussière.

Il y avait quelque chose de glaçant dans cette image, et de fascinant. On l'aurait crue sortie tout droit de *Vertigo*. C'est la référence qui m'est venue aussitôt à l'esprit quand j'ai relu la phrase « vêtements et photos de sa vie d'avant, soigneusement empaquetés ». Même lumière, même ambiance stérile et inquiétante que dans le film, du moins l'impression qu'il avait toujours produite en moi. Une scène qu'Hitchcock aurait finalement coupée au montage parce qu'elle était trop révélatrice des obsessions et névroses qui l'habitaient, je ne parle pas de son personnage, mais de lui. Le parallèle s'arrêtait là car la jeune femme blonde et brune du film, comme on le découvrait, n'était que l'instrument d'un plan machiavélique qui la dépassait, alors que Lorca Horowitz, commanditaire et exécutante de sa mission, semblait avoir agi pour son propre compte. Ce plan, et l'usurpation d'identité qui en faisait partie, n'étaient pas, de toute façon, le motif de *Vertigo*, œuvre du fantasme et de l'empêchement. Et chez Lorca Horowitz, le ravissement de la personnalité n'avait pas pour but de dissimuler, ni de s'enrichir, ni de s'élever socialement, c'était en soi l'objectif à atteindre. Mais je persistais à penser qu'il y avait tout de même au fond des cartons consciencieusement rangés dans le grenier de l'étrange secrétaire une part du délire maniaque d'Hitchcock.

C'est sans doute cette image qui m'a saisie et empêchée de tourner la page de ce fait divers qui, sinon, n'aurait pas forcément retenu mon attention. J'ai dû percevoir là-dedans un élément qui était moi et à la fois ne l'était pas, comme ces reflets que nous renvoient les miroirs déformants, tellement effrayants qu'on refuse dans un premier temps de s'y reconnaître mais qu'on n'arrive pas à quitter des yeux. La vision des cartons bien ordonnés de Lorca Horowitz n'a plus cessé de me poursuivre. Je me suis rendu compte que ce n'était pas vraiment le *pourquoi* de ces cartons qui m'intéressait. Je n'avais nullement envie de succomber à mon tour, contrairement aux médias qui avaient traité l'affaire, à la tentation psychologisante consistant à chercher à tout prix une interprétation à ce qui me paraissait moins captivant, au fond, qu'une autre question :

comment avait-elle organisé le classement de sa vie d'avant, en suivant quelle méthodologie, quelle logique ? Avait-elle ordonné ses affaires par années, par cycles, par lieux, par sentiments, par couleurs ? Comment les avait-elle associées ? À quelle part de ses souvenirs les avait-elle reliées ? Il existait d'infinies façons de trier, peut-être autant que de manières d'aimer.

J'étais très méticuleuse moi aussi. Je tolérais assez mal le désordre et me sentais vite étouffer dans des pièces encombrées, autrement dit dont je n'avais pas décidé moi-même la disposition et où je n'étais pas seule, ou encore dont la disposition que j'avais décidée avait été modifiée, même légèrement, par une intervention étrangère, époux, enfants, ce qui entraînait chez moi un mouvement irrépressible en direction du rétablissement de l'organisation originelle et compliquait sérieusement mes chances d'avoir une vie de famille heureuse. C'est pourquoi, si j'avais dû, pour une raison ou une autre, ranger les vêtements et photos de ma vie d'avant dans des cartons, j'aurais très certainement opéré avec le même soin quasi psychotique, emballant chaque objet avec la délicatesse qu'on accorde à ce qui nous est précieux, dont on a l'illusion que ça nous servira encore, voire nous survivra, qu'on transmettra à nos descendants et même, pourquoi pas, qu'on retrouvera dans un futur de science-fiction quand il sera enfin possible de ressusciter. J'étais à peu près sûre que j'aurais choisi le classement par cycles amoureux. Après réflexion c'était pour moi celui qui avait le plus de sens, avait divisé et agencé ma vie, autour d'un homme qui chaque fois en était devenu le centre et pour qui, ou sous l'influence de qui, j'avais changé ma façon de m'habiller, de me maquiller, de me coiffer, de parler, de sourire, de désirer, de rêver. D'être. J'avais tout fait pour correspondre au fantasme de l'acteur énervé qui me reprochait à longueur de temps de n'être pas la grande brune élancée au carré court et plat dont il rêvait. J'avais passé des castings, été figurante au cinéma. J'avais même tourné dans un film de James Ivory au château de Versailles. Avec mon mari sévillan et vaguement hippie, j'avais porté des jupes longues et des bijoux folkloriques, formé des projets humanitaires confus pour aider les émigrants subsahariens, imaginé créer une fondation culturelle internationale qui aurait réuni les deux rives de la Méditerranée et pour laquelle j'avais déjà un nom, Melquíades, en souvenir du gitan qui transmet le savoir dans *Cent ans de solitude*, mon livre de chevet. J'avais voyagé pendant des mois en Amérique centrale dans des conditions que je ne supporterais sans doute plus aujourd'hui. Avec mon deuxième mari, français, éditeur, je m'étais mise à fréquenter le milieu intellectuel parisien, m'efforçant d'être la femme chic, sexy et bourgeoise qu'il voulait à ses côtés, perchée sur douze centimètres de talons. Je donnais des dîners une fois par mois, j'allais au concert à Pleyel. Je portais des tailleurs avec des bas couleur chair. Chacun de mes cycles était très défini, avec un début et une fin facilement identifiables, un lieu différent, quelque chose de net, d'entier. Je n'ai jamais aimé deux hommes en même temps, ni au même endroit. Il aurait été assez simple pour moi d'empaqueter ma vie dans des boîtes sur chacune desquelles j'aurais collé une étiquette comprenant juste deux dates et un nom. Comme sur une tombe.

Mais je ne l'avais pas fait, et les probabilités pour que je le fasse un jour étaient faibles. En réalité je n'avais aucun attachement pour les objets, quels qu'ils fussent, meubles, vêtements, bijoux, accessoires, photos. Même les livres. Même mon piano, qui était sans doute de tout ce que je possédais ce qui m'était le plus cher. Cela m'avait valu beaucoup de malentendus douloureux avec les hommes qui avaient partagé mon quotidien, car tous, et le dernier en particulier, avaient tendance à garder absolument tout, se laissant peu à peu ensevelir par le passé quand j'ai toujours aspiré à faire table rase. Était-ce à cause de ma famille de déracinés, parce que les uns et les autres avaient dû un jour quitter leur maison en laissant derrière eux des objets comme des traces de sang ? Peut-être m'interdisais-je de revivre cette dépossession. Peut-être aussi préférais-je me tenir toujours prête à partir, avec le minimum de bagages. Je ne sais pas. Nous sommes nombreux à porter en soi un exil en héritage. Certains d'entre nous réussissent très bien à s'installer durablement quelque part et même à s'attacher aux biens terrestres. Il y avait pourtant des choses que j'avais aimées follement et perdues moi aussi pour toujours, une maison ravagée par un incendie, des verres brisés sur le sol d'une cuisine, une montre qu'on m'avait volée, un gros ballon multicolore emporté par le courant d'une rivière quand j'avais quatre ans. Je n'étais pas faite pour être propriétaire, je l'avais appris avec le temps. Je n'étais pas indifférente aux objets qui m'entouraient, les choisissais avec soin et les faisais miens aussitôt, les choses comme les lieux, je n'aurais pas pu vivre dans un meublé, mais pouvais tout laisser du jour au lendemain, sans me retourner. Je ne prenais quasiment pas de photos, je ne les regardais pas. Et j'avais détruit toutes mes lettres d'amour.

Les cartons de Lorca Horowitz m'intriguaient d'autant plus. Ils dérangeaient ma conception de l'espace, et de l'autonomie. Je me demandais de quoi, de qui, cette femme avait-elle tant souffert à se séparer. Qu'avait-elle aimé aussi sauvagement, ou qui, au point qu'à l'encontre de toute logique et de son attention prouvée au travail bien fait, propre, elle n'avait pu se résoudre à jeter ce qui lui était lié, laissant derrière son crime ses empreintes sans même chercher à les dissimuler ? Cela me paraissait fou. C'était l'inexplicable faux pas dans un parcours jusque-là parfaitement maîtrisé, un sans-faute effrayant mais qui, avec cet élément qui faisait dérailler toute la machine, devenait prodigieux.

Cette image ne correspondait pas à la deuxième photo, l'étrange secrétaire, illustrant l'article de *Elle*. Elle ne correspondait pas à la blonde mince et sophistiquée, vêtue de marques de la tête aux pieds, qui lançait un regard assassin à l'objectif. Car si elle était Lorca Horowitz, qui était donc la femme à qui appartenaient les vêtements d'une taille bien plus grande et d'un tout autre style, ainsi que les affaires soigneusement empaquetées au grenier ? Pas enterrés au fond d'un bois, ni sous un tas de charbon à la cave, ni même enfermés dans un coffre-fort à ouvrir seulement cent ans après sa mort et sous instruction testamentaire, mais dans un grenier propre et aéré, métaphore chez Bachelard de la conscience, de l'élévation spirituelle. Je ne comprenais pas. La femme machiavélique que décrivait la presse aurait dû tout éliminer, elle ne pouvait pas avoir eu cette faiblesse, avoir commis cette erreur.

Ou bien ce n'en était pas une, et les cartons disposés méticuleusement au grenier, destinés à être trouvés, faisaient partie de son plan.

– Lorca ? Que faites-vous ici ?

Elle a arrêté ma petite Lorca. Désormais c'est Lorca tout court, avec un début d'inquiétude dans la voix. Elle est surprise, Rocío Perales, et pas agréablement, dans les vestiaires de la salle de fitness du bas Carmona où elle a ses habitudes, son bandeau fluo autour des cheveux et ses écouteurs dans les oreilles, de trébucher sur moi alors que ce n'est pas inscrit, programmé dans son agenda, qu'elle n'est pas retranchée derrière sa panoplie de gérante d'une agence d'architectes avec vêtements assortis, mais au contraire totalement exposée dans ces choses moulantes qui ne dissimulent plus rien de son anatomie, que je me fais une joie non feinte de scruter de bas en haut alors qu'elle se tortille de malaise devant moi. Mon bonheur à cet instant, c'est de jouir de ma puissance et de son inconfort, de cette situation qui malmène les usages, les patrons détestant en général rencontrer leurs employés, et ceux-ci pareillement, dans un cadre neutre qui les place tous sur un même plan illusoire, d'autant plus en tenue civile, si je puis dire. Malgré sa bonne éducation et la tolérance dont elle s'efforce de faire preuve en toute circonstance, Rocío Perales a du mal à cacher combien elle est embarrassée et presque contrariée de me trouver à cet endroit où elle aime sans nul doute venir précisément se délester des charges et responsabilités du bureau, et oublier la gueule de ses subalternes.

À votre avis ? Je vous observe, ma Rocío, je vous étudie, modèle, marque, couleurs. Je note la tenue que vous portez pour travailler vos fessiers, vos abdominaux, le galbe de vos jambes superbes et cette poitrine qui ne tombe toujours pas et fait ployer les têtes, toujours classe, toujours élégante même en caleçon droit, en slim ou en legging, en brassière, en débardeur. J'adore celui que vous portez. Je cours d'ailleurs de ce pas m'acheter le même, vous ne m'en voudrez pas. Ma silhouette doit fondre davantage pour se superposer exactement à la vôtre sans déborder, à aucun endroit, comme quand on s'applique enfant à faire un coloriage et que c'est une question capitale, de vie ou de mort, une frontière entre deux âges, celui où on dépasse encore et celui où on ne dépasse plus. Alors on confondra nos corps et nous prendra pour des sœurs, l'une pour l'autre. J'y arriverai. Il y aura des efforts, des privations, des limites repoussées, des muscles douloureux, de la rage transpirée, crachée, mais il est évidemment exclu que je ne réussisse pas.

— Je ne savais pas que vous fréquentiez cet endroit...

Elle s'en veut, songe probablement qu'elle a eu tort de m'inviter quelquefois à enjamber la frontière de la hiérarchie, comme le lui reproche avec affection Eduardo, un homme, comme on le sait maintenant, plein de bon sens et respectueux des formes fixes, valeurs féodales, rondeaux, ballades et virelais. Pourtant, sa douce et tendre ne me propose plus de séances de shopping le samedi, ni de déjeuners en famille le dimanche, ne me prodigue plus de bons conseils, ne partage plus avec moi ses astuces beauté. Depuis que j'ai perdu considérablement du poids et éclairci mes cheveux, me semble-t-il, avec ce carré plongeant qui me va si bien, d'après ma mère.

— Tu leur donnes un doigt, ils te prennent le bras, c'est ainsi depuis la nuit des temps, ma colombe, lui susurre-t-il le soir dans le lit époque Isabel y Fernando, parce que la Rocío n'a pas pu se retenir de lui faire part du picotement désagréable qu'elle éprouve depuis notre rencontre à la salle de fitness, à l'heure du déjeuner.

– Je n'arrête pas d'y penser, j'ai eu l'impression qu'elle n'était pas là par hasard, qu'elle m'avait suivie... Tu ne la trouves pas un peu étrange, toi, Lorca ?

Eduardo s'amuse de cette petite crise d'angoisse, il serre son aimée contre lui. L'odeur de son soin capillaire l'a toujours excité, sa crème de nuit provoque inévitablement chez lui une érection plaisante à laquelle Rocío ce soir ne réagit pas. Il songe à des vers de Rutebeuf qu'il se retient à temps de réciter car il a constaté ces derniers temps que cela tapait sur les nerfs de son épouse. Il en a été peiné mais ne l'a pas exprimé, c'est un homme attentionné à l'égard de sa femme, ainsi qu'il a déjà été prouvé, un homme exempt de tout impair, difficile à admettre, mais vrai. Spontanément il confesserait bien que pour être honnête il sait à peine qui est cette Lorca, ne lui a pas du tout prêté attention depuis qu'elle est arrivée, la fille à la compta, avec ce prénom insensé de poète républicain, a-t-on idée franchement, mais en Époux avisé et responsable il devine que la señora attend autre chose de sa part, même s'il n'est pas certain de viser juste et redoute qu'à un moment ça ne se retourne contre lui.

— Bizarre ? Sans vouloir te vexer c'est lui octroyer beaucoup d'originalité. Je dirais plutôt physique quelconque, négligé, avec problème de surpoids, dû certainement à une mauvaise alimentation et à l'extraction sociale.

— Mais justement, elle a incroyablement minci depuis qu'elle est chez nous ! Elle s'habille beaucoup mieux et a même changé de coiffure... Ne me dis pas que tu ne l'as pas remarqué ?

Pour répondre à cette question, qui contient une accusation et le début déjà de leur malheur, Eduardo Perales a le choix entre deux systèmes de défense : soit il nie en bloc, il n'a rien remarqué, parce qu'il ne me regarde pas, ne regarde aucune autre femme que la sienne, mais Rocío ne le croira pas, car la sincérité est improuvable contrairement au mensonge, et qui croirait un homme affirmant ne pas s'être aperçu qu'une de ses plus proches collaboratrices embellit de jour en jour ? Au mieux, elle accusera sa perpétuelle distraction, fera une allusion blessante aux *Dames du temps jadis* et autres ballades merveilleuses qui le tiennent à bonne distance, précisément, de ce genre de conversation honnie. Au pire, elle commencera à avoir des doutes sur son intégrité, flairera la duplicité et la concupiscence, devinera qu'il tente, le malheureux, de masquer maladroitement son attirance pour moi. Soit il avoue tout, il a bien vu, en effet, et la Rocío comprendra alors qu'il me dévore du regard dès que je suis dans son champ de vision, où je m'arrange pour être le plus possible, depuis qu'il a découvert par ailleurs que j'étais incollable sur Louise Labé, à qui je consacre toutes mes soirées depuis des mois, il faut bien que ça commence à payer. Par prudence, il s'est gardé de révéler à sa tendre moitié notre goût partagé pour certaines épîtres, bien qu'à la limite du Moyen Âge, car Rocío, comme toutes les femmes belles et comblées, n'est pas sans souffrir d'une légère tendance à la jalousie et à la paranoïa, même sans fondement aucun, même avec un homme exemplaire comme Eduardo Perales à ses côtés, qu'elle ne mérite pas.

La bonne nouvelle, c'est que dans l'un ou l'autre cas, Rocío Perales sera furieuse, avec début de tremblement et absence de maîtrise dans les gestes. Ce qui conduira son mari à se demander, sans l'exprimer à haute voix, si son épouse est aussi équilibrée qu'il l'a cru jusque-là. Il commencera à douter. Ce soir, mais ce soir seulement, Eduardo réussira à clore non sans peine le débat avant que ça ne vire mal et que la nuit ne soit gâchée par l'irruption dans le lit des Rois Catholiques de Lorca Horowitz. Moi.

— Vamos, querida, comment une femme comme toi pourrait-elle craindre quoi que ce soit d'une petite comptable avec un nom à coucher dehors ?

Ils fermeront les yeux, plus par peur que par conviction.

La nuit, je rêve de Julián, il nage nu dans une piscine d'un bleu limpide, au centre du jardin d'une maison de la sierra au-dessus de Cordoue, entourée d'oliviers et d'amandiers, un jour d'été.

Il est très beau. Son corps jeune et musclé fend l'eau sans produire de vagues, ni faire de bruit.

Il me sourit, me fait signe de le rejoindre. À cet instant, c'est ce que je voudrais le plus au monde, plonger vers Julián, sa bouche ruisselante, et me coller à sa peau pour toujours, ne plus le quitter, jamais. Mais l'eau est atrocement froide. Je ne sais pas comment tu peux mon amour supporter cette température et virevolter comme une anguille qui s'éloigne de moi.

Je suis au bord de la piscine et je tremble, mes orteils dans l'eau glacée.

Pardonne-moi, Julián, pardonne-moi.

Il y avait un moment que je m'intéressais au « caso Horowitz » quand mes yeux ont été attirés par un tout petit flacon posé sur une étagère à gauche de mon bureau, une de ces babioles que même quelqu'un comme moi traîne de déménagement en déménagement sans savoir pourquoi ni se rappeler qu'elles existent. Il était fermé par un bouchon en liège, et l'étiquette rouge, abîmée, encore collée d'un côté, « Albero de la Plaza de Toros de Sevilla », indiquait qu'il contenait à l'origine du sable des arènes de Séville. J'avais dû l'acheter à une époque où je ne vivais pas encore dans la capitale andalouse mais y séjournais régulièrement, notamment pour la Feria, et où tout ce qui s'y rapportait me faisait fantasmer. Je ne me souvenais pas quelle lubie m'avait poussée à vouloir à tout prix rapporter du sable de la Maestranza, du moins ce qu'on vendait comme tel, chez moi, dans le deux-pièces au sixième sans ascenseur où j'habitais alors à Pigalle. Mais peut-être était-ce déjà dans la maison avec jardinet à Brixton, Londres, où j'ai passé ensuite quelque temps avant de tout plaquer pour l'Andalousie. Peu importe, c'est possible, il y a en moi un penchant romantique qui peut m'amener à réaliser des actes aussi saugrenus que conserver dans une vieille fiole la terre d'un endroit que j'ai aimé. Voilà le genre d'objets, sans aucune valeur marchande, auxquels je suis capable de m'attacher, moins pour ce qu'ils renferment que pour ce qu'ils sont susceptibles de faire réapparaître sans crier gare, une image si bien enfouie que j'en ai oublié et la cachette et l'existence. Une image pourtant bien nette, parfaitement conservée, comme si elle avait été soigneusement empaquetée dans des boîtes au grenier.

Mon flacon sévillan, qui se trouvait donc à quelques centimètres de moi chaque fois que je m'installais devant mon ordinateur, et ce, depuis des années, ne contenait plus de sable, s'il en avait eu un jour. Il était rempli en revanche de ces coquillages fossiles de forme ovale, plus ou moins plats, d'une taille variant entre deux centimètres et trois millimètres, orangés d'un côté et blancs de l'autre, avec une spirale d'escargot du côté blanc, qu'on ramassait au bord de l'eau, à un seul endroit de toute la côte andalouse, la plage de Bolonia. Ça m'est revenu d'un coup. La beauté du lieu, ces parfaits petits fossiles que les rares personnes qui fréquentaient la plage comme nous s'amusaient à collectionner, et qu'on repérait plus facilement quand ils étaient mouillés s'ils étaient tournés du côté orange, car l'eau accentuait cette couleur. Ces parfaits petits fossiles, doublement mystérieux, puisque personne n'en connaissait l'origine et qu'on les trouvait uniquement là, d'après ce qu'on nous avait raconté. J'avais passé des heures de ma vie à arpenter le sable à la recherche de ces coquillages. Je l'avais fait chaque fois que nous étions venus à Bolonia, moi qui n'ai aucune patience et que l'idée même de collection ou de liste a toujours ennuyée. Dans quel but ? Pour que tout finisse sur une étagère dans un bocal que je ne voyais même plus ?

C'était absurde. J'ai vidé le flacon sur mon bureau et les fossiles à la forme parfaite se sont répandus à côté de mon ordinateur, sur les feuilles volantes empilées là, extraits de mon cours sur le fait divers et impressions d'articles sur l'affaire de l'étrange secrétaire. J'ai renoncé à les compter et résisté à l'envie d'en passer une poignée sous l'eau pour raviver la couleur. J'ai juste plongé ma main dedans. Alors j'ai pensé que même si très probablement je m'enfoncerais désormais dans une solitude de plus en plus implacable, ne connaîtrais peut-être plus jamais l'émerveillement splendide de l'état amoureux, le confort d'une vie à deux, j'avais dansé du crépuscule à l'aube en robe flamenca et bu du chocolat chaud au petit matin chez les gitans avant d'aller me coucher. J'avais joui dans les bras de plusieurs hommes. J'avais été reine, et belle, et puissante. Il m'avait toujours manqué quelque chose mais j'avais réussi parfois à toucher ce qui ressemble au bonheur, comme peuvent l'éprouver les gens comme moi, sur le départ. J'en avais quand même bien profité, certaines escales avaient duré, un peu.

Et j'ai compris que les cartons de Lorca Horowitz étaient pleins de ces mêmes coquillages fossiles qu'on ne peut ramasser qu'à un seul endroit sur terre, où on a aimé, où on a joui, où on a été reine et belle et puissante, nulle part ailleurs, dans une tentative naïve pour les mettre en lieu sûr avant que la déception et la trahison et la vieillesse et le chagrin ne rejettent tout à la mer. Lorca Horowitz, aussi, avait été passionnément amoureuse.

Les filles au bureau chuchotent dans mon dos. Elles ne célèbrent plus le spectacle de mon corps ainsi qu'elles le faisaient avant, bruyamment, avec phrases exclamatives, abus d'interjections. Quand elles s'émerveillaient, complimentaient et, au bout d'un moment, comme si je ne pouvais combler seule toute cette frénésie et n'étais qu'un prétexte pour les conduire à lui, revenaient systématiquement à Julián, plaisantant à moitié, comme quand on a peur.

– Et ton mari, ça va ? Beaucoup de cadavres en ce moment ?

J'ai toujours su quand on lorgnait mon aimé, j'ai une intuition infaillible pour cela. Je ne suis pas partageuse. Pilar et Maria del Mar auraient voulu que je leur présente Julián, je crois même qu'elles auraient adoré que je leur propose une virée à la morgue un dimanche. Elles insistaient beaucoup, et pourquoi il ne venait jamais me chercher au bureau, n'assistait pas aux inaugurations officielles, aux événements de toute sorte, avec cocktail, tapas et cava, pourquoi on ne le voyait nulle part, ça finissait par être mystérieux et atrocement excitant. Elles me demandaient à moitié sérieuses si je n'avais pas décidé de le cacher, de le garder exclusivement pour moi et les défunts, mon époux trop beau pour être vrai.

– Tu n'as pas une photo, au moins ?

Maintenant elles ont arrêté. Elles murmurent, rebus d'humanité grondante pour qui la mesquinerie constitue le seul altruisme. Vingt kilos et demi c'est beaucoup, c'est le seuil au-delà duquel on ne glousse plus, ça devient moins drôle soudain. Leurs repères ont volé en éclats et ces filles-là tolèrent mal que leur monde soit bouleversé, qu'il y ait des modifications dans leur programme télé. Mais on garde encore les masques. Officiellement on se supporte, on échange ce qu'il faut de banalités pour rendre la cohabitation acceptable, on s'hypocrite conformément aux usages, en baissant d'un ton.

– Moi, ce que je crois, c'est que son mec, le croque-mort, il s'est tiré depuis belle lurette...

– Avec une autre ?

Je surprends le regard de Pilar et de María del Mar, qui rentrent aussitôt leur cou de soumises, comme les costaleros portant les chars pendant les processions, interrompent leur susurrement. D'elles je ne crains rien. Je sculpte ma silhouette grâce au fitness en salle deux fois par semaine à l'heure du déjeuner et un soir aussi. Je vais courir vers la Macarena le dimanche matin, au moment du marché de l'Alameda, d'ailleurs il m'arrive d'y croiser Rocío. La discipline est la base du maintien, qui est la clé de la réussite. Il faut un mental indestructible et je résiste mieux désormais au suicide à un certain endroit au-dessus du Guadalquivir, Séville, Espagne. Je suis là, j'existe, mon nom est Lorca Horowitz.

Pour les documents falsifiés, je finis par déroger au principe de modestie que je m'étais imposé au début à cause de mes besoins qui ont augmenté et parce que personne n'ose plus m'approcher. Je crois que je leur fiche un peu la frousse, sans qu'ils réussissent à se l'avouer, et je suis bien obligée de me griser seule de mes victoires sans témoins. Victoires, précisément, parce que sans témoins. C'est le paradoxe et la limite de mon triomphe. Il n'existe que parce que personne ne le voit. Le jour où j'aurai un spectateur, mon règne s'achèvera. Je le redoute, je le souhaite. Je jouis de mon empire secret en espérant sourdement son renversement et mon entrée dans la lumière. Condamnée à l'humanité.

La maison tourne bien, rien à redire à mon travail. On commence à me craindre, on chuchote, elle est louche, vingt kilos et demi c'est trop, jusqu'où ira-t-elle, elle est un peu mythomane, érotomane peut-être mais pas méchante, une pauvre fille, très seule sans doute, pathétique au final. On me laisse tranquille, c'est presque trop facile. Les petits créateurs sévillans, devenus mes amis, ne jurent que par moi. Je m'achète de plus en plus de vêtements chez eux, glisse quelques remarques au passage sur Rocío, répète de faux commentaires de sa part. Ça marche à tous les coups, rien n'est plus enfantin que la rumeur. Je prends le pouvoir. Mes goûts sont plus affinés, assurés, je ne cesse de peaufiner mon personnage, tics de langage, expressions corporelles, habitudes quotidiennes, préférences alimentaires, tout ce qui forge et définit une personnalité, aspiré, sucé comme de la moelle. D'heure en heure je me rapproche de Rocío, je deviens elle et personne ne fait rien. Chaque jour je me demande quand va-t-on m'immobiliser et m'injecter un tranquillisant, un stabilisateur d'humeur, une bonne décharge électrique, quand vais-je en finir avec la tristesse. Pourquoi me laisse-t-on m'égarer au bout de ma peine, pourquoi ne m'arrête-t-on pas ?

Ma mère penserait qu'il faut pardonner. C'est certain. Les hommes ont toujours eu des, comment dirait-elle déjà, un de ces mots anciens qu'elle aimait tant quand elle arrivait à être légère, ou plutôt inconsciente, à plaisanter avec ses blessures, incartades, c'est ça. Un mot inaudible mais une de ses idées à elle, enracinée et commune. Bref ils ont l'infidélité dans le sang, on n'y peut rien, affirmerait ma mère, une fatalité, c'est connu, on doit faire avec, tôt ou tard il faut s'attendre à ce que l'homme qu'on chérit plus que tout au monde, dont on caresse le visage à l'aube de chaque jour, le geste initial, le seul vrai, à qui on a sacrifié son ingénuité et son champ des possibles, couche avec la première passante qu'il croise dans la rue. Une qui lui joue la scène du recommencement. Une avec qui il aura le règne, la puissance et la gloire, quelque temps. Les hommes se rassurent ainsi, c'est leur façon de survivre, tous, Lorca, tous, les indignes et les respectables. Les hommes n'ont pas notre rapport au sacré et ils ont une trouille bleue de vieillir.

Ma mère dirait ça, et aussi qu'une incartade, ce n'est pas grand-chose au fond, rien qui justifie de tout perdre, ce qu'on a construit ensemble pendant des années avec tant d'efforts et de patience, la complicité, le partage, l'ennui, l'émotion, l'émulation, même les silences. Elle ajouterait que c'est une grave erreur de renoncer à ces trésors qui n'ont pas de prix et ne sont pas remplaçables, tout ça pour un écart, une de ces broutilles qui n'occupent aucune place sur l'échelle du temps, ni sur celle de l'orgueil, vite blessé vite oublié, même si sur le moment ça fait plus de ravages que l'amour en fuite. Tant qu'il revient, tu comprends Lorca, la seule chose qui compte c'est qu'il revienne toujours.

Chaque jour je me demande comment j'ai pu perdre Julián.

Il paraissait incontournable, si je voulais poursuivre ma quête, que je me rende tôt ou tard en Andalousie. Tous les écrivains qui s'intéressent à un fait divers se déplacent à un moment donné sur les lieux, à la fois du crime et de leur futur livre, en général au début de leur recherche, sans même attendre parfois la levée du ou des corps, afin de contempler le décor de leurs propres yeux, rencontrer des témoins, voire des acteurs, du drame qui les hante, et coller au plus près de cette réalité qu'ils prétendent décrire. Depuis Truman Capote, parti s'installer dans la ville du quintuple meurtre qu'il avait ensuite raconté dans *De sang-froid*, et qui avait noué des relations personnelles et ambiguës avec plusieurs des protagonistes, c'est comme ça. Norman Mailer avait passé un temps considérable en Utah, il avait pénétré le milieu mormon et interviewé des dizaines de gens sur place avant de faire jaillir ce chef-d'œuvre qu'est *Le Chant du bourreau*. Cette immersion totale lui avait sans doute été nécessaire pour pouvoir prendre la voix de l'assassin Gary Gilmore, pour que sa langue soit juste et vraie.

Bien sûr, je ne manquais pas dans mes cours de rappeler à mes étudiants âgés de vingt ans que Mailer, et plus encore Capote, appartenaient à des époques où on n'était pas en permanence connecté au monde et où, pour obtenir de la documentation, de l'image, et bien sûr du son, sur un sujet, on ne pouvait pas se contenter d'entrer deux ou trois données dans son téléphone sans remuer de sa chaise. Souvent il fallait faire sa valise et avaler un certain nombre de kilomètres, frapper à des portes qui ne s'ouvraient pas, sacrifier des heures dans des services poussiéreux d'archives, se faire envoyer balader et quelquefois casser la gueule par des interlocuteurs peu désireux de collaborer, griffonner des notes à la main, retranscrire des entretiens, recouper des informations, prendre des photos qui seraient développées plus tard, accepter la frustration et perdre la foi tous les soirs seul dans sa chambre d'hôtel. Ça leur semblait incroyable. Ils me regardaient d'un air dubitatif, presque goguenard.

Ces illustres références étaient sacrément paralysantes, il faut bien l'avouer. Par ailleurs il m'avait suffi de quelques clics pour constituer un épais dossier sur l'affaire de l'étrange secrétaire, avec photos couleur et vidéos, accumulant une bonne matière déjà, dans laquelle rien ne m'interdisait de puiser. Je me demandais ce qu'un séjour dans le sud de l'Espagne m'apporterait de plus, je craignais même qu'il ne me dépossède de quelque chose. J'étais certaine que les Perales refuseraient de me parler. Soit ils étaient traumatisés, soit déjà sous contrat d'exclusivité avec une émission de télé-réalité, et ce serait pareil pour leurs collaborateurs. Quant à la coupable, il n'y avait quasiment aucune chance que je parvienne jusqu'à elle. Mes arguments valaient ce qu'ils valaient pour me justifier de rester retranchée derrière mon ordinateur, je n'étais pas dupe. En vérité, depuis que j'avais la certitude que Lorca Horowitz avait souffert d'amour, et que ce chagrin-là était peut-être à l'origine de ses actes, j'avais encore plus de mal à envisager ce voyage.

Je connaissais déjà le paysage où elle avait grandi, l'odeur, la couleur de la terre qu'elle avait foulée pour aller danser au mois d'avril jusqu'à l'aube, à la porte des casetas où on ne la laissait pas pénétrer. J'en avais vu des filles comme elles, à l'époque où je logeais le temps de la Feria chez un vieil homme d'affaires français qui possédait

125

une résidence secondaire dans le barrio de Santa Cruz, avec plein de chambres d'amis dont j'avais le privilège de faire partie, somptueuse villa avec patio en marbre et fontaine en son centre remplie en permanence de pétales de rose. En tant qu'invitée de ce monsieur, je bénéficiais de nombreux passe-droits, ce dont je ne me rendais pas vraiment compte, aveuglée par ma jeunesse et l'effet que je produisais alors sur les hommes, d'âges variés, qui n'hésitaient pas à tenter leur chance en venant tapoter discrètement, en vain, à ma porte, au petit matin quand on rentrait du campo de feria. Toutes les nuits je suivais le groupe en robe flamenca, une fleur dans les cheveux, un châle sur les épaules, dansant la sévillane et buvant de la manzanilla, de caseta en caseta, en compagnie d'une princesse italienne d'un autre temps, d'une veuve de médecin et d'un ancien couturier parisien, d'un apprenti torero et d'un couple d'Américains qui terminaient systématiquement la soirée ivres morts et recommençaient le lendemain. Une troupe pittoresque et remarquablement vêtue. Une fois, j'ai remarqué de jeunes Andalous qui dansaient en jean entre deux tentes, guidant leurs pas, leurs gestes, sur la musique émanant d'une caseta voisine. Des pauvres, m'expliqua mon hôte, exécuteur testamentaire d'un compositeur célèbre et éditeur de ses œuvres, qui se teignait les cheveux, se parfumait à outrance et déclinait le pedigree de ses convives chaque fois qu'on passait à table. Grassouillette et mal dans sa peau, portant des vêtements moulants qui aggravaient sa peine, Lorca Horowitz était probablement là, parmi les jeunes en marge de la fête. Elle nous regardait et elle nous haïssait.

Je connaissais bien aussi cette douleur de l'exclusion, pire encore, celle du cœur qui se brise et n'en finit pas de se briser, du cœur déjà en miettes et qu'on peut, aussi inconcevable et cruel que cela paraisse, réduire en morceaux toujours plus petits, car il faut de nombreux coups pour arrêter l'amour, il faut le tabasser à plusieurs reprises pour s'assurer qu'il ne bougera plus, au prix d'une souffrance qui n'est comparable à aucune autre. Et que celle-ci ait pu conduire Lorca Horowitz jusqu'à la folie où elle avait glissé m'épouvantait, non parce que je n'aurais jamais soupçonné que cela fût possible mais, au contraire, parce que je l'avais toujours su.

Rocío décline. Je la vois pâlir, ses délicates épaules s'affaissent. Elle ne se déploie plus en présence d'Eduardo auprès de qui elle ne peut s'empêcher de bomber le torse, ultime sursaut, pour faire jaillir ses seins, reins cambrés, et croiser les jambes au bord du fauteuil, une fesse dans le vide, menton relevé, ainsi que je réussis parfaitement à le faire désormais, sans l'ombre d'une hésitation. Elle a besoin du dossier, de toute son assise, elle se tasse. Je viens à l'instant de la croiser chez le coiffeur, c'est moi ou j'ai l'impression qu'elle a rapetissé, Rocío Perales ? Elle a eu l'air terriblement gênée de me voir. Pourtant elle avait bien besoin d'être là, ce n'était pas du luxe, elle n'avait pas à se justifier devant moi, ça fait un moment que ses racines ressortent, elle se néglige ces derniers temps. C'est juste mon avis.

— Lorca ?...

Elle ne peut rien ajouter, les mots remontent jusqu'à sa gorge où ils se bloquent, s'empilent les uns sur les autres comme ces tas de cadavres qu'on voit dans les champs de bataille après les défaites. Si ça continue, elle va s'étouffer avec. Je la croyais plus à l'aise dans ce salon très chic dont elle est pourtant une fidèle cliente depuis des années et où elle a toujours eu sa place, sa coloriste attitrée qui la couve d'un regard presque amoureux et a élaboré pour elle un blond au plus près de sa personnalité. De la mienne, à présent. C'est ce blond que je veux, exactement, pas un autre.

Rocío Perales revient du bac. Il y a quelques minutes elle nageait dans un bien-être qui n'était pas loin de la plénitude, la femme arrivée, qui sait qu'elle a tout obtenu sur cette terre, de ses aspirations de petite fille, de ses fantaisies d'étudiante, et qui se fait violence chaque jour pour se persuader qu'elle ne pourrait pas être plus heureuse. Aucune angoisse de loyer à la fin du mois, trois enfants blonds, nourriture bio et vacances en France l'été. Ne remet jamais en cause ni l'endroit où elle vit ni l'homme avec qui elle couche ni le putain de sens de son existence. Tête renversée, yeux clos, et malgré la légère douleur qui la tiraillait dans le cou, elle aurait donné n'importe quoi pour que ça dure encore, le plus longtemps possible, la température de l'eau très chaude sur son crâne, presque brûlante, ainsi qu'elle l'aimait et que la réglait sa coiffeuse sans plus le lui demander car elle savait comment satisfaire ses moindres désirs, les doigts de celle-ci massant son cuir chevelu avec mousse et langueur. Enveloppée dans un murmure inaudible qu'elle trouvait apaisant, loin de tout, elle était à l'abri.

Et quand le charme se rompt, qu'il faut s'extraire de cette torpeur et se lever avec une serviette autour du cou, le cheveu décharné, dégoulinant, quand il faut entendre à nouveau les conversations des unes et des autres et rouvrir les yeux au monde, prosaïque mais a priori allié, un monde qu'elle fréquente depuis tant d'années qu'elle le pense à elle, la première image que voit la Perales, c'est moi Lorca Horowitz.

– Vous vous sentez bien, Rocío ?

Elle est aussi blanche que les bacs à shampooing, on dirait qu'elle va s'effondrer. Suis-je encore pour elle une employée inoffensive ? Qui encombre un peu dans les couloirs et l'embarrasse par son admiration pathétique ? Qui a connu le miracle amoureux et l'a vu s'évaporer au milieu du désert sans laisser de marque, aucune preuve de son existence passée, comme si elle l'avait entièrement inventé ? Je ne sais pas. Je constate juste qu'elle a arrêté de m'appeler ma petite Lorca avec le bon sourire qui ponctuait chaque fois la moindre phrase à mon attention, et qu'elle est devenue brusquement sourde et muette au milieu du salon de coiffure.

La señora se change en statue, seuls ses yeux remuent et roulent à une vitesse effrayante, annonciateurs d'une baisse de tension, d'un malaise vagal. Je n'ai pas de précisions à apporter du point de vue médical parce que ces manifestations du corps ne m'ont jamais beaucoup passionnée, je l'avoue, elles me répugneraient presque si j'allais vraiment au fond de ma pensée, sauf quand il s'agit du corps de Rocío Perales, car il est, non pas unique, mais hautement désirable et déchiffrable. Je lis dans ses yeux clairs, de cette teinte complexe, mélange de bleu et de vert, que je n'ai pas encore réussi à retrouver pour des lentilles de contact, même si je ne me décourage pas, je lis donc quelque chose qui ressemble à de l'épouvante.

L'émotion ne s'est pas totalement dissipée quand, quelques heures plus tard, fraîchement recolorée, elle déboule en trombe dans le salon Gaspar de Guzmán après avoir frôlé l'accident de voiture et fermé à clé la porte d'entrée. Elle s'affale sur un des canapés, ce qui déjà ne lui ressemble pas, marque une rupture de la retenue en usage chez les Perales, face à l'Époux qui vivait alors un de ces moments doux qu'on découvre privilégiés à la seconde même où ils meurent d'une irruption trop violente du réel, avec un bruit de jupe froissée. Eduardo venait en effet de se préparer une infusion de manzanilla et s'apprêtait à la déguster accompagnée d'un churro bien gras que Rocío lui interdit le reste du temps, et de pièces de clavecin de Rameau, gigues, rigaudons, gavottes et courantes, un enregistrement qu'il aime écouter dans la solitude que lui laisse parfois l'après-midi du samedi et qui le distrait des devis et autres plans de sol. Les trois enfants sont alors occupés à leurs différentes et respectives activités où les accompagne une personne rémunérée pour cela, ce qui permet à Rocío d'avoir du temps pour elle, comme elle le répète, et à Eduardo de jouir de cette douceur chérie, propice à la lecture de poèmes. Ce que font exactement les enfants déjà, tennis, équitation, musique, enseignement religieux, tauromachie, le señor ne l'affirmerait pas. C'est la señora qui maîtrise ces domaines et s'emploie donc le samedi après-midi, quand elle a enfin du temps pour elle, à entretenir son enveloppe charnelle, shopping, coiffeur, esthéticienne. Et c'est très bien, vraiment, comme ça.

Eduardo Perales était donc tout content à l'idée de savourer ces merveilles, l'idée seule était déjà un ravissement, comme en amour le meilleur moment se situe quelque part dans le prologue, mais l'arrivée de l'épouse avec sa tête blonde des pires jours, alors qu'elle revient pourtant de chez le coiffeur, saccage la perspective du bonheur simple avant le bonheur même. Interruption de Rameau, refroidissement de la manzanilla à côté du churro coupable posé sur coupelle, qu'Eduardo lorgne du coin de l'œil et n'ose toucher dans cette ambiance paisible passée au drame sans prévenir.

— Que se passe-t-il ?

Elle voudrait le lui dire, essayer de retrouver les mots, mais la panique s'est emparée d'elle, la panique a pris possession de toute sa personne, de son langage. Et à cause de cela, le récit qu'elle se met à débiter à son mari, qui s'appuie pourtant sur des faits tangibles, bien qu'en dessous de la réalité, apparaît à ce dernier comme un égarement paranoïaque, qui l'inquiéterait si Eduardo Perales n'avait pas l'esprit pleinement rationnel, ni le très fort désir de ne pas se laisser détourner trop longtemps du programme qu'il s'est fixé.

— Cette fille a un comportement anormal, elle me suit partout, je ne peux plus faire un pas désormais sans tomber sur elle, je t'assure Eduardo qu'elle cherche à me copier, à s'habiller comme moi, à se coiffer comme moi... J'ai peur, je me demande ce qu'elle veut à la fin, jusqu'où elle va aller...

C'est inattendu, contrariant. Il y a forcément des explications, le surmenage peut en constituer une. On prétend aussi que la quarantaine est une étape passablement stressante pour la femme, même une impératrice comme la sienne, une qui gouverne sur tout un territoire entièrement voué à son culte. Il ne faut pas trop en demander à Eduardo Perales, lui aussi est un mirage et un monstre d'égoïsme. Alors il cherche les mots appropriés à ce qu'il croit être la situation, succession de hasards fâcheux, angoisse sans fondement, et ne les prononce pas car précisément il a du mal à cerner ce qu'est vraiment la situation.

— Parfois j'ai l'impression qu'elle aspire à voler mon âme.

S'il éclate de rire ce sera très mal perçu, il en a conscience. Rocío semble faire une fixation sur cette comptable insignifiante, parfaitement ordinaire, embauchée maintenant depuis, combien, deux, trois, cinq ans ? Qui d'ailleurs, songe-t-il en toute objectivité, se débrouille plutôt bien à la place où elle est, personne ne s'est jamais plaint, Dieu sait pourtant que les architectes sont du genre geignard. Une fille peu mémorable sinon, pour le peu qu'il l'a observée, qui s'intéresse, ce n'est pas banal, aux voitures et au Moyen Âge, avec une préférence pour le tardif. Ce n'est pas un reproche, même si les puristes comme lui ne peuvent s'empêcher d'avoir une prédilection pour le central. Mais tout de même, une fille comme elle. Qui ronge ses ongles, c'est un détail, le seul de son physique, qui l'a frappé, et de manière désagréable, car Eduardo a un faible pour les jolies mains, soignées, entretenues, avec peau hydratée et arrondi quasi liturgique de l'extrémité des doigts, des mains qui empoignent rarement une éponge ou le gant de toilette d'une personne dépendante. Un élément de séduction indispensable selon lui, au bord du fétichisme, et il est chaque jour reconnaissant à Rocío de ne pas négliger cet aspect auquel il tient, à raison d'environ trois séances de manucure par mois.

— Vous ne jouez pas dans la même catégorie toutes les deux, ma chérie, ressaisis-toi. Cette comptable ne ferait pas de mal à une mouche.

D'où surgit cette fragilité jamais décelée jusque-là ? songe-t-il. Il n'arrive pas à parler. De toute façon son épouse ne l'écouterait pas, elle s'enfonce dans son histoire dont Eduardo a la quasi-certitude qu'elle ne le concerne pas. Bien mystérieux est le lien qui unit deux êtres quand ils se racontent qu'ils s'aiment. Aime-t-on l'autre ou son amour ? Je réfléchis beaucoup à cette question, car je suis franche et très courageuse, et il y a toujours un moment dans la journée, un seul parce que je dois me fixer des règles intransigeantes, où je me demande Lorca est-ce Julián

135

que tu pleures ou l'amour qu'il avait pour toi, dont il t'enveloppait et te recouvrait ? Je me le demande, mais je ne me réponds pas.

En résumé, plus Rocío va insister, s'acharner à lui démontrer que Lorca Horowitz représente quelque chose de trouble et peut-être de dangereux, qui les dépasse et dont ils ne saisissent pas encore l'ampleur dévastatrice, qu'ils pourraient éventuellement stopper s'ils laissaient libre cours à leur peur la plus honteuse, la peur de l'autre, plus elle va nourrir ce qui commence à croître dans le cerveau d'Eduardo, la pensée que sa femme aimée souffre d'un délire de persécution dont il ne s'estime nullement responsable, et pour lequel, même en cherchant bien, il n'arrive pas à éprouver le début d'un sentiment de compassion, mais juste de l'ennui.

Il faut absolument que je trouve l'adresse de la manucure.

J'ai connu le chagrin d'amour. Des hommes m'ont quittée. Il y a eu un moment, chaque fois, où j'aurais voulu mourir, où je ne croyais pas possible de survivre à la déflagration. Je n'étais pas morte, pourtant, j'avais jusqu'ici toujours réussi à rassembler mes morceaux, à réparer mon orgueil blessé. J'avais accepté la perte de l'homme aimé, et de la femme que j'avais été, désirée, caressée, dans ses bras. Parfois c'était vite passé, et je m'étais moquée plus tard de mes larmes et de mes insomnies qui, avec le recul, m'avaient semblé, dans le meilleur des cas, incompréhensibles. Parfois le prix avait été terrible. Quelque chose de moi avait dû périr, quelque chose qui ne serait jamais retrouvé et dont la disparition provoquait une douleur lancinante, comme un point de côté qui persiste alors qu'on a arrêté de courir. Puis j'avais recommencé.

J'avais eu envie de mourir mais rarement de tuer, même si l'idée a pu m'effleurer dans la rage de la jalousie, quand la blessure est si vive qu'elle fait faire et dire n'importe quoi et transforme une femme douce en furie, quand plus rien ne tient, de raison ou d'honneur, de dignité ou même de calcul, qu'on est livrée à la tyrannie de ses émotions qui déferlent en force, sans aucune hiérarchie. « Sacrées ou non, ces bonnes sont des monstres, comme nous-mêmes quand nous nous rêvons ceci ou cela », écrit Genet dans *Comment jouer « Les Bonnes »*. C'est à la femme que je m'en serais prise, si j'avais dû, au choix, assassiner quelqu'un, l'autre, cette rivale que je ne connaissais pas et avais haïe avec une violence inédite, à qui j'aurais volontiers craché à la figure, que j'aurais voulu gifler, humilier et rabaisser en public, même si c'était lui, l'homme aimé, qui avait broyé la confiance, même si c'était avec lui qu'il fallait continuer à vivre et faire encore semblant d'y croire. C'était parfaitement injuste mais je n'y pouvais rien. Je n'étais pas très fière de moi quand je me souvenais de ces scènes atroces où il m'avait semblé tomber pendant des heures dans un abîme, loin, très loin, du miracle de l'amour. Le dernier homme que j'avais aimé m'y avait poussée tout au fond. Je tentais d'en remonter quand l'article dans *Elle* m'avait interpellée.

Je comprenais de mieux en mieux l'étrange secrétaire. Qui savait si, à sa place, je n'aurais pas agi de la même façon ? Il n'y a pas d'apaisement possible quand on aime passionnément un être qui vous trahit, quand on continue de l'aimer en dépit du mal qu'il vous fait.

Je me rêvais, peut-être, Lorca Horowitz.

Ils n'ont pas idée de ce que j'endure, ne mesurent pas l'étendue de mon mal. Il peut m'arriver le week-end, et pendant les vacances, de ne pas prononcer un mot, rien, des heures, des jours durant, même la nuit je rêve sans dialogues. Depuis que je travaille chez Perales Architectes j'ai bien été obligée de prendre des congés, et longtemps je suis restée enfermée chez moi, volets clos, je me suis habituée à ma présence. Le jour où il faudra vieillir et se préparer au néant, je serai comme un poisson dans l'eau. Tant de gens ne supportent pas le silence, plus une âme à leur côté pour leur fournir leur petite dose de tirades et d'espoir, malgré la télé, la radio, allumées en permanence, ils s'effondrent en découvrant que leur existence reposait en réalité sur l'autre, son bruit, sa voix, sa façon d'occuper l'espace, ses manies. Ils s'effondrent en découvrant combien ils aiment la vie. Je n'ai pas ce problème. Au niveau privé j'avance en totale autarcie, à part un dimanche par mois où je sors de ma retraite pour rendre visite à ma mère dans le bâtiment des longs séjours de l'hôpital.

Bonjour maman tu sens mauvais aujourd'hui. Julián t'embrasse. Comme d'habitude il a une bonne excuse pour ne pas venir, un embaumement de première classe, un extra et bien payé alors tu comprends, ou pas d'ailleurs, aucune importance, comme ça il pourra m'inviter au restaurant et avant on ira boire une coupe de vrai champagne au bar de l'Alfonso XIII, comme Ava Gardner j'irai m'installer au bar où il y a un piano dans un coin avec un monsieur qui joue des standards de jazz. On peut faire ça je t'assure maman, un jour je t'emmènerai tu verras et il faudra que tu te tiennes bien droite, le menton volontaire et la cuisse fière, à la Rocío Perales, tu ne devras pas courber les épaules ni fixer le sol avec humiliation comme si tu étais coupable. Une très mauvaise habitude que tu as depuis plus de soixante ans et qu'il est indispensable de corriger, mieux vaut tard que jamais. Tu commanderas un alcool fort et tu souriras peu, ton regard balayant les consommateurs présents sans s'attarder sur eux, avec dédain, tel qu'il convient de le faire dans ces endroits-là, paraît-il. C'est notre heure à présent, notre moment est venu, il n'y a aucune raison que tu ne profites pas de ces lieux auxquels ma réussite professionnelle me donne désormais un accès légitime, sans parler d'une certaine aisance financière.

Mais rendons à Julián, mon cher ange, ce qui lui appartient. C'est lui qui m'a montré la voie, lui qui avait ce penchant pour le clinquant, le penchant mais hélas peu les moyens de ses prétentions, sauf à de rares moments, et ce sont ceux-ci, de ma vie avec lui, que j'ai préférés avec sa main caressant le bas de mon dos pour m'endormir. Lorca, Lorca, tu es trop sévère. Sans doute, c'est pour mieux tenir debout. Je garde aussi de Julián quelque chose du domaine de l'évidence, d'une présence autocratique, c'était lui, personne d'autre, point final, inutile de poser des questions, une soudure puissante, je n'ai pas compris la cassure. D'ailleurs je ne comprends toujours pas, joder, je suis sans doute un peu lente. Julián était tellement exigeant qu'il en paraissait snob parfois. Un jour à Madrid un serveur impressionné dans un restaurant m'a glissé «votre époux, on dirait le Chevalier à la main sur la poitrine», j'étais si fière de lui. Je ne sais pas pourquoi je te raconte ça, maman, ce souvenir parmi les milliers que je possède de Julián et moi, qui mourront sans que je les prononce, qui bientôt disparaîtront ainsi que tout ce que nous avons partagé et aimé ensemble, parce que plus personne ne nous regardera.

En réalité Julián ne t'embrasse pas, maman, il a toujours porté un regard condescendant sur toi, de jugement sans appel, il ne disait rien mais ce n'était pas par éducation, c'était par mépris, pour nous faire sentir bien clairement qu'on n'appartenait pas au même monde que lui. À cause de Julián j'ai parfois eu honte de toi, maman, et ça non plus je ne lui pardonnerai pas. Il ne comprend pas pourquoi je continue de venir te voir, à quoi ça sert, qu'il dit, c'est comme parler à une momie, et il s'y connaît un peu sur le sujet, Julián, c'est plein de vide là-dedans, qu'il répète, ce n'est plus relié avec l'extérieur, si tu passes ta main devant ses yeux elle ne réagit même pas. Si tu la pinces, si tu la gifles. En plus elle pue et elle pionce quasiment tout le temps. Mais quand elle se réveille, je réponds à Julián d'une petite voix, son oreiller est tout mouillé par ses larmes. Les momies, ça ne pleure pas, dis. Si ?

Sortir de la stupeur, de l'état de sidération, de la douleur qui fige.

Seul le temps.

Alors vous pensiez que ça n'arrivait qu'aux autres ma petite Lorca ? Que vous étiez à l'abri ? Et pourquoi donc ? Par quel traitement de faveur auriez-vous pu préserver ce que vous aviez de plus beau, de plus propre, vous, Lorca Horowitz ? Puisque rien ne dure et que vous avez eu largement votre part de bonheur, une part inespérée, imméritée. Qu'elle s'estime heureuse, la mocheté, l'orpheline, elle a connu la grâce, maintenant il faut payer. Où est Julián, où sa bouche s'est-elle enfuie ? Rendez-la-moi. Comme je t'ai aimé, comme j'ai aimé ton corps, mon doux, mon chéri. Ne plus te revoir, jamais, même quand tu seras déchu, quand tu seras bien vieux avec la peau qui tombe sous les bras, je passerai mon chemin sans un regard pour toi.

Je n'en peux plus. Je monte, redescends, j'aime, je déteste, serre contre moi l'oreiller de Julián que je n'ai pas changé depuis qu'il est parti, comme le dernier foulard de ma mère, je garde l'odeur de mes disparus. Un mot, un seul mot de lui et je l'accueillerais à genoux, je le presserais sur mes seins. Puis le froid m'envahit et je sens mon ventre se durcir, je crache sur sa photo. Salaud Julián, ordure Julián, lâche Julián, traître Julián, menteur, menteur, menteur. Je l'éructe, je le crie, le matin au réveil et la nuit aussi la tête sous son oreiller sale. Ça ne console pas, ça ne soigne pas non plus. Je traverse tous les états. Aimer à nouveau, être aimée, est-ce encore possible ? Qu'un homme m'enveloppe. Être nue devant lui, et fière, et belle, un homme qui me maîtriserait, qui prendrait les choses en main.

J'ai si peur de moi. Seul le temps fera peut-être de Julián quelqu'un qui ne me bouleversera plus, que je ne connaîtrai plus, qui me sera étranger et indifférent, une ombre que je croiserai sur un trottoir et ne verrai pas. Seul le temps peut-être fera que mon amour n'aura jamais existé, j'aurai imaginé toute cette histoire. Et sinon ? Si le temps n'y fait rien ? Je vais crever de regrets.

Tout est détraqué dans ma vie depuis le grand séisme. Pas de rédemption possible ma petite Lorca, demeurer intraitable. Julián a commis l'irréparable, il nous a chassés de l'absolu. Pourquoi faut-il tant souffrir, pourquoi c'est moi qui devrais être anéantie ? Car je sais, moi, à qui la faute, j'ai tout deviné de l'origine du vice, c'est à moi qu'appartiennent le règne, la puissance et la gloire. Si Julián a foutu le camp, ce n'est pas pour une autre, ce n'est pas parce qu'il a triché pendant douze ans, que son amour était en carton-pâte avec faux baisers, faux serments, fausse alliance et trahisons en continu, sous couvert de respectabilité, el señor Julián es un caballero, il empaille les morts comme personne. Quelqu'un peut-il me dire si le mot pantin existe au féminin ? Et moi, pauvre cruche, j'étais bien la seule à y croire dur comme fer. Julián, mon adoré, mon tout petit. S'il m'a abandonnée sans nous laisser la moindre chance, s'il a tout dévasté, c'est parce qu'il existe des gens comme Rocío Perales, qu'on n'a jamais dépossédée de rien, c'est ça la vérité. Rocío Perales n'a jamais été le jouet de personne, elle n'a pas connu la douleur d'aimer un prince, ni un usurpateur. Je suis seule et ne me rendrai pas.

J'ai toujours eu besoin de mouvement, de renouvellement. C'était sans doute le drame silencieux de mon existence, je courais après quelque chose d'insaisissable et, dans ce genre d'épreuve, généralement, on répand le malheur autour de soi. Ceux qui sont à vos côtés n'arrivent ni à vous immobiliser, ni à vous rejoindre. Je redoutais qu'une situation se fige. Très vite, dès que trop de confort s'installait, d'habitudes, je ne pouvais pas m'empêcher de changer les meubles de place. Il me fallait sans cesse réinventer le quotidien, définir de nouveaux projets, élargir l'horizon, modifier les repères, déménager. Je ne sais pas si les hommes qui m'ont aimée l'ont compris, s'ils ont perçu que cette guerre permanente n'était en aucun cas dirigée contre eux, mais ceux qui ont partagé ma vie en ont très certainement souffert. Ils se sont

147

sentis déchoir peu à peu, impuissants à combler cette exigence qu'ils prenaient pour un reproche ou une accusation, un signe de désamour, la marque d'une insatisfaction grandissante dont ils auraient été à l'origine. Ils avaient l'impression de ne jamais être à la hauteur de mes attentes et ne le supportaient pas. Ils ne voyaient pas que ce n'était pas à eux que je cherchais à échapper, ni même à la répétition qui peut être si douce parfois, que j'ai savourée sans rougir et espère connaître à nouveau s'il m'est donné sur terre une autre chance. Je devais régulièrement partir, c'était plus fort que moi, fuir au-delà du péri-mètre de sécurité, et j'aurais tant voulu qu'un homme vienne avec moi. Mais ils m'ont quittée, tous, même le dernier, que j'avais cru mon âme sœur et pour qui, ou à cause de qui, j'aurais sans doute pu faire ce qu'avait fait Lorca Horowitz.

« Elle se rêvait riche et belle. Imitant la femme de son patron dans les moindres détails, l'étrange secrétaire a détourné l'argent de ce dernier pour mener une autre vie que la sienne. » C'était le chapeau de l'article, et plus les jours passaient, plus je m'apercevais combien cette analyse était erronée, conditionnée par une lec-ture linéaire des faits, sans relief, à cause de la peur, très certainement, car la vérité était bien plus effrayante que cette petite explication asep-tisée. Lorca Horowitz ne se rêvait pas riche et belle, elle l'était. En tout cas, à un moment de son existence, elle l'avait été, sans l'ombre d'un doute. Et rien ni personne ne lui enlèverait ça, quoi qu'il advînt ensuite.

Je me demandais ce qu'elle avait éprouvé quand elle avait constaté que son plan fonctionnait sans accroc, n'éveillait pas le moindre soupçon, personne d'un peu sensé n'émettait d'objection et les gens gobaient ses mensonges les plus farfelus sans sourciller, réclamant davantage. C'était trop facile. Plus elle exagérait, plus c'était invraisemblable, mieux ça passait. Elle avait dû en nourrir encore plus de déception, de dégoût et de rage envers l'humanité, s'était trouvée plus seule que jamais devant sa propre métamorphose, comme un triomphe face à une salle vide. Il n'était pas question de jubiler, de se frotter les mains de contentement avec un rire sardonique après le bon tour qu'elle avait joué à tous. Elle n'avait pas plus de spectateurs que lorsqu'elle était soubrette. Elle était riche et belle, et seule au monde. Les autres étaient des esclaves. La victoire avait un sale goût. Lorca était la dernière femme libre. Elle avait désormais le contrôle total du navire alors qu'il ne restait plus une âme à bord. Se précipitait-elle le soir dans son grenier pour ouvrir les cartons savamment ordonnés et plonger sa main dedans comme je le faisais depuis quelques semaines avec les petits coquillages fossiles de Bolonia que j'avais déversés sur mon bureau et que je caressais machinalement tandis que j'essayais d'écrire notre histoire ?

J'ignorais comment elle avait résisté, à ce point abandonnée, parce que moi, ce qui m'avait empêchée de basculer, ce qui m'avait toujours retenue au dernier moment, c'étaient mes fils, les garçons que j'avais eus de mes maris. Lorca Horowitz, à ma connaissance, n'avait pas d'enfants. Aucun article ne mentionnait qu'elle était mère, j'avais tout épluché. Dans ces conditions je ne voyais pas ce qui aurait pu l'arrêter. Il n'y avait plus aucun frein à son accomplissement total. Lorca grandissait, s'affirmait, prenait de plus en plus de place, je la voyais s'animer. Sa voix devenait plus nette, plus précise, singulière. Elle m'envahissait.

Les filles trépignent. Je viens de surgir, le visage altéré, ce lundi matin. J'ai enchaîné deux nuits blanches, couru dans la rue pour me donner une mine défaite, qui masque mal mon exaltation, à dessein, car il est question non pas d'avoir l'air malade mais d'exprimer un ravissement ahuri. J'ai passé plusieurs soirées à étudier l'expression de ces gens qui apprennent qu'ils ont gagné au loto des sommes inconcevables, bien au-delà de leurs capacités imaginatives, mélange d'incrédulité et d'angoisse. Je suis humble, presque honteuse, je feins l'étourdissement. Pilar et María del Mar se mettent à crier. Rocío apparaît à la porte de son bureau, son beau visage interrogateur, fatigué. Personne ne la regarde.

Je dois m'asseoir parce que j'ai encore le tournis, excusez-moi, on a appris la nouvelle hier avec

Julián et on n'a pas dormi de la nuit, même si la pudeur m'interdit de vous donner tous les détails de cette célébration. C'est trop beau, trop inattendu, un cadeau du ciel, je veux bien un verre d'eau oui merci, ou peut-être même quelque chose de plus fort, un petit alcool ce ne serait pas de refus, un xérès par exemple si ce n'est pas trop demander, on est bénis des dieux, vous vous rendez compte ? Pour tout vous dire c'est un privilège qui m'effraie, j'ai peur qu'on nous le retire tôt ou tard, c'est ce qui s'est toujours passé dans ma vie alors j'ai des raisons d'être prudente, déjà cet amour si plein, à peine supportable pour mon cœur délicat, et maintenant...

– Mais quoi, Lorca ? Quoi ?

Un vieil oncle de mon mari, branche maternelle, de Valence, dans les pompes funèbres lui aussi, ni femme ni enfants. Il adorait Julián, c'est lui qui lui a transmis sa passion des soins somatiques et de l'art restaurateur. Il vient de mourir d'un cancer foudroyant et mon aimé pense que c'est à cause du formaldéhyde, personnellement il est contre les produits biocides mais le tonton était de la vieille école, bien chimique, même en cas de crémation, bref il a fini par mourir lui aussi, ce qui chez les thanatopracteurs a toujours des airs de gag vieux comme le monde, genre l'arroseur arrosé. Un type qui a fait fortune et passé l'essentiel de sa vie à faire des injections à des juste défunts afin de retarder le processus de décomposition et atténuer les odeurs, avec nettoyage complet, incisions et tout le toutim mais je ne voudrais pas vous égarer avec les procédés techniques. Une autre fois, à l'occasion. Tout ça pour préciser qu'il n'a jamais claqué un sou, pas eu le temps. Sa vie c'étaient les morts, si j'ose dire. Il a donc tout légué à Julián, qui est son seul héritier. Julián et moi. Une somme colossale, vous n'imaginez pas, et moi non plus, on va devoir faire appel à un conseiller financier. Julián m'a dit ma chérie, ma douce, tu peux t'acheter ce que tu veux, il n'y a plus de limites, on ne saura jamais comment dépenser tout cet argent. Rocío, vous me donnerez vos bonnes adresses sur la Côte d'Azur ? Avec Julián on irait bien faire un tour là-bas aux prochaines vacances. Vous partez quand, vous, déjà ? Mais surtout rassurez-vous, hein, ce n'est pas parce qu'on est très riches soudain qu'on va arrêter de travailler. La conservation des corps, Julián, c'est sa passion, il continuerait même gratis, et moi, vous savez bien que je ne vous laisserai jamais tomber, Rocío, je vous dois tout.

Six mois plus tard, la Perales fait sa première dépression. Quand je dis six mois c'est juste pour situer vaguement, d'après moi le temps n'est pas linéaire. Je pense qu'il n'est pas circulaire non plus car ce serait trop simple et je suis persuadée que la vie ne s'enroule pas sur elle-même, d'ailleurs qui pourrait croire qu'elle forme des figures géométriques ? Je me demande bien ce qu'elle dessine et où elle prétend nous faire croire qu'elle va, la vie, ce qu'elle creuse, ce qu'elle séquestre. Ma seule certitude ce sont les ruptures, de toute sorte, chronologiques et même grammaticales, ça, c'est mon truc, mais ce n'est pas le sujet. Situer donc que la première crise de Rocío Perales, car le mot dépression n'est pas prononcé à l'époque, il est question de fatigue nerveuse, de cure de repos, se déclenche assez rapidement après que j'ai commencé à m'habiller en haute couture nationale et à venir au bureau au volant de la Porsche Carrera 4 cabriolet bleu métallisé achetée aussitôt grâce à l'héritage du tonton croque-mort, ce qui fait rougir tous les matins les tempes grisonnantes d'Eduardo.

– Cette phrase, Lorca, vous entendez les silences, les respirations du moteur ?

J'ai l'impression qu'il s'arrange pour arriver à la même heure que moi, coïncider avec mon moteur et admirer mon fuselage. J'ai perdu plus de vingt-cinq kilos et demi depuis mon embauche, je me suis façonné un look de reine moderne, avec lissage et balayage blond, maquillage raffiné, manucure impeccable, teint hâlé, robes Felipe Varela, accessoires de luxe et collection impressionnante de chaussures. Si Julián me voyait. Il comprendrait qu'il n'a pas réussi à me détruire, que je n'ai pas été et ne serai jamais une de ses victimes, une des pauvresses dont il a pillé le cœur. Au contraire, délivrée de son joug, je me révèle enfin. Tu peux trembler, Julián, il ne sera pas fait de prisonniers.

C'est ça, peut-être, qui en a mis un petit coup derrière la nuque à Rocío, et le fait aussi qu'elle me rencontre à tout bout de champ, dans ces lieux, esthéticienne, salle de sport, salon de coiffure, manucure, jardin public, qui jusqu'à maintenant étaient des prolongements d'elle-même, des territoires intimes et familiers que j'ai envahis peu à peu, conquis et soumis à mon bon vouloir et où elle ne peut plus entrer sans se heurter à moi comme dans un coin de porte, pauvre bichette. Territoires qu'elle a donc arrêté de fréquenter car elle est pleine de bleus et ça marque mal pour une célèbre directrice d'agence qui aime tant voir son portrait dans les journaux locaux à côté d'un guéridon Maison de Bourbon, Première Restauration. Est-ce ça qu'elle a du mal à supporter, son glissement de terrain, ou mon déploiement à moi Lorca Horowitz, qui déjeune désormais dans certains restaurants sévillans très prisés où elle a ses habitudes ? Je ne suis plus une simple dactylo et je mange à leur table. D'ailleurs la plupart du temps je n'ai même pas à payer, ce qui bien évidemment ne serait pas un problème, avec tout ce que je détourne par mois je gagne plus que les Perales réunis, sans enfants blonds à charge ni impôts. Plus vous montrez que vous avez de l'argent et plus on vous invite, partout, plus les privilèges injustifiés s'accumulent, c'est une incongruité dont je m'accommode assez bien, certains jours plus que d'autres, parce que ça fiche le vertige. Heureusement que j'ai mes cartons bien rangés, classés par défaites. Lorsqu'on a perdu sa terre natale, sa langue maternelle, il faut se constituer une maison des origines, de la cave au grenier. Ces cartons, ce sont mes albums de famille.

Mes frais de représentation, de cosmétique, sont devenus énormes, à l'image des sommes extravagantes que je détourne avec cette simplicité qui me déconcerte la première. Bizarrement il n'y a toujours personne qui s'en aperçoit. Je dépense sans compter, ne me cache plus. J'ai pris un coach privé à domicile pour le fitness et laissé tomber la salle de gym, trop commune et moins excitante depuis que je n'y connais plus la griserie d'y humilier Rocío Perales. Mon corps est parfait désormais, c'est ma création, mon entreprise, une réussite totale, je suis prête à tout pour le faire tourner à plein rendement et folle de lui à en crever, de sa fermeté, de ses proportions millimétrées. Je ne me lasse pas de l'admirer devant ma glace, dans différentes tenues, en directrice d'agence, jambes croisées, la fesse en équilibre sur mon fauteuil de bureau à roulettes. Si Julián me voyait. Il en tomberait malade car sans doute m'a-t-il imaginée dépérir quand il m'a retiré son amour comme on éteint la lumière dans la chambre d'un enfant laissé avec cruauté dans le noir alors qu'il a peur, justement, de l'obscurité. Il ramperait à mes pieds pour me supplier de le laisser poser ses mains sur mes bas. Et moi, que plus personne n'a touchée depuis lui, je les lui écraserais avec mes talons de douze centimètres, ses mains que j'ai tant aimées, car Julián est un être méprisable, Julián est un perdant, il ne me mérite pas et ma vengeance sera terrible. Mon corps est parfait désormais, personne n'y résistera. Il rappelle celui de Rocío Perales, avant.

Ou c'est le choc de découvrir que je suis en vacances à Saint-Tropez l'été suivant, la dernière semaine de juillet et les deux premières d'août, exactement en même temps qu'eux.

— Eduardo, c'est un pur cauchemar, je te supplie de faire quelque chose. Cette fille est malsaine, folle…

— Enfin Rocío, tu entends ce que tu dis ? C'est grotesque. Cette pauvre femme a soudain accès à un monde qu'elle ne connaît pas, dont elle ne possède ni les codes ni les usages, et comme nous sommes ses seuls repères, il est normal qu'elle nous copie, qu'elle s'identifie à nous.

– À moi, Eduardo, pas à nous. À moi. Et ce n'est plus de l'identification à ce stade, c'est du clonage. Tu ne vois pas à quel point elle me ressemble maintenant ? Elle porte mon parfum, mon vernis à ongles, les mêmes bijoux que moi. Et je me demande si elle n'a pas fait de la chirurgie esthétique pour avoir le même nez que le mien.

Mais Eduardo ne voit pas car jusqu'ici il n'a pas remarqué que son épouse vénérée partageait sa passion pour la poésie médiévale et les voitures de course, ni qu'elle s'intéressait en réalité à lui autrement que pour son statut de conjoint ainsi que stipulé dans leur contrat de mariage, associé professionnel et géniteur, contrairement à la petite secrétaire millionnaire qui lui a fait miroiter juste quelques jours plus tôt, avant la trêve estivale, une lettre autographe signée Marie de Champagne acquise chez Christie's Madrid, puisqu'elle fréquente aussi les salles des ventes désormais, il faut s'y faire. Eduardo a presque eu un étourdissement, suivi immédiatement par un regret, car il a cru un vague instant qu'elle voulait la lui offrir. Mais elle lui a juste permis de la toucher avant de la lui reprendre d'entre les doigts, et s'en est allée dans un tourbillon d'effluves épicés. De l'ambre peut-être, quelque

chose d'oriental, il aurait été incapable de définir la substance et encore moins d'affirmer
que c'était également celle dont s'aspergeait sa
femme. Comme on le sait, les arômes ne virent
pas de la même façon sur toutes les peaux, dans
ce domaine non plus les femmes ne naissent pas
égales, et beaucoup moins libres qu'elles ne le
croient en droits.

Bref, quand Rocío échevelée, rouge puis
jaune de consternation, apprend à l'Époux entre
deux hoquets qu'en revenant de sa promenade
matinale sur le port elle a croisé tu ne devine-
ras pas qui, j'ai été à deux doigts de m'évanouir.
Lorca Horowitz. Tu m'entends, Eduardo, Lorca
Horowitz. Elle a loué ici avec son mari pour
trois semaines, tu peux le croire ? Il a beau chercher mais ne saisit pas où est le problème. C'est
même plutôt une bonne nouvelle, songe-t-il,
si d'aventure il croisait la blonde secrétaire par
hasard à l'heure de l'apéritif, il pourrait avoir
une conversation sur un autre sujet que l'épidé-
mie de méduses et la température de l'eau, ce qui
élargissait soudain sérieusement son horizon.
Il ne veut pas comprendre la fixation que fait
sa tendre moitié sur cette personne largement
défavorisée à l'origine, à qui le destin vient de
donner un émouvant coup de pouce par le biais
d'un héritage tombé du ciel. Il se retient de
demander si Lorca Horowitz est venue avec sa

voiture car il sent bien que ce n'est pas du tout ce qu'on attend de lui, et il s'est toujours efforcé du mieux possible de satisfaire les besoins de Rocío. Il s'étonne encore une fois de la réaction de celle-ci, de son manque de générosité. Et comme il arrive toujours dans les cas exemplaires de manipulation, c'est sur elle qu'il ne peut s'empêcher désormais de poser un regard suspect.

Rocío, dont il observe le visage effaré, les mains tremblantes, ne souffrirait-elle pas d'un mal plus grave qu'il n'y paraît ? Il se souvient d'avoir lu récemment que la paranoïa, mot qu'on emploie à tort et à travers, finissant par le vider de son inquiétante substance, de ce qu'il contient de souffrance, n'est pas à prendre à la légère, c'est un véritable dérèglement de la pensée, une psychose. Il ne sait pas comment le magazine qui consacrait un dossier complet à ce trouble mental s'est retrouvé entre ses mains un jour au bureau, il n'y a pas si longtemps pourtant. Cette lecture l'avait mis mal à l'aise sans qu'il détecte exactement pourquoi puisque ni lui ni personne de son entourage a priori n'était concerné par le problème. Il se promet d'approfondir le sujet dès que possible et, en attendant, tente la conciliation. Eduardo, cela va sans dire, fuit l'affrontement direct et privilégie le louvoiement, c'est un homme. En amateur de rondeaux, il a une sainte horreur des éclats de voix. À sa décharge, rappelons tout de même que les Perales ne sont qu'au début de leur séjour et rien n'est plus désagréable que de commencer ses vacances par une scène de ménage.

– Ce n'est peut-être pas très adroit de sa part, j'en conviens, de nous suivre jusque sur notre lieu de villégiature, ce sont des choses qui ne se font pas, aucun patron n'a très envie de partager ses congés avec ses employés, aussi cordiales que soient leurs relations, sur ce point je suis d'accord avec toi, mais rien ne nous oblige à passer nos soirées avec elle et son mari et...

– Aucun employé normal n'a très envie non plus de partager ses congés avec ses patrons. Ce n'est pas de la maladresse, Eduardo.

– Qu'insinues-tu, Rocío ? Encore une fois, tu es son modèle, que veux-tu, elle t'admire tellement qu'elle n'a plus conscience des limites...

– Elle en a tout à fait conscience, au contraire, son attitude est intentionnelle. Arrête de la considérer comme une petite oie effarouchée, elle se sert de nous pour parvenir à ses fins.

– Tu vas trop loin... C'est du délire de...

– Tu sais ce qu'elle m'a dit quand je l'ai quittée ? « Vous feriez bien de faire attention quand vous prenez votre voiture, Rocío... »

Ou c'est finalement le découragement qui succède à cette phase initiale de révolte pleine d'énergie et de volonté d'en découdre avec l'ennemi. Car je ne réapparais plus dans le paysage des Perales une seule fois au cours des trois semaines qu'ils passent à Saint-Tropez cet été. Et ce qui aurait dû constituer un soulagement pour l'un et l'autre, pour des motifs différents mais dans le but commun de se payer des vacances tranquilles, se transforme en problème réel. Chez Rocío, il se traduit par l'angoisse omniprésente de me croiser n'importe où n'importe quand, de me voir débarquer chez eux ou sur la plage sans crier gare, chez Eduardo par l'inquiétude grandissante de penser que son épouse a sans doute été victime d'une hallucination qui, s'il se rappelle bien, peut être une des manifestations de la paranoïa dans sa phase aiguë. Inquiétude nourrie par le souvenir désagréable de la scène du premier jour, la voix métallique de Rocío, sa scansion hachée, le mouvement de balancier de sa tête, Rocío indifférente à ses tentatives pour la rassurer, Rocío emmurée dans son discours maniaque, ses yeux fixes et hagards, ses yeux de folle. Ils se tiennent sur leurs gardes le jour, s'observent à bonne distance, ne sortent pratiquement pas de la villa qu'ils louent chaque année depuis longtemps, jusque-là source infaillible de joie, ne dorment que d'un œil la nuit et passent, en résumé, un séjour de merde.

Ils rentrent épuisés juste après le 25 août à l'agence, où je les attends hâlée ce qu'il faut, blonde comme les blés, la peau détendue à souhait, pour attaquer la reprise de plein fouet, et aucun d'eux ne se risque à me demander où je suis allée en vacances. Je leur réponds quand même. Une île des Cyclades, terminaison en *os*, maisons blanchies à la chaux, ciel bleu, un temps de rêve, remarquez, la Grèce c'est infaillible, trois semaines idylliques, d'autant qu'on était en dehors de la foule, Julián et moi on est un peu agoraphobes. L'île où nous séjournions est assez peu fréquentée, c'était parfait, le bonheur, le repos total, on n'a pas bougé.

Quelques jours plus tard Rocío Perales est arrêtée, pour fatigue nerveuse, donc.

Dans les traversées houleuses que j'ai dû supporter, à différents âges de ma vie, mes enfants m'ont retenue du côté de la vie et la littérature m'a enveloppée. C'est une voix, une musique susceptible de surgir à n'importe quel moment, n'importe où. Je me suis lovée dedans sans me poser de questions car ma priorité était de survivre, peu importait la nature du bout de bois sur lequel je dérivais. *L'amour s'en va comme cette eau courante. L'amour s'en va.* Depuis que le dernier homme que j'avais aimé m'avait quittée, ces vers ondulaient dans ma tête à cause de l'eau, de Venise et d'un séjour bien avant le temps de la désunion, du séisme, un séjour heureux je crois, même si désormais je me méfiais des images, de leur clapotis trompeur, de leur odeur sucrée. Le bonheur avait existé, ce n'était pas exclu, avant que je réclame plus d'autonomie et que cet homme ne le supporte pas, emporte une autre femme dans ses bras et lui susurre les mêmes mots qu'à moi.

Comme la vie est lente.

C'était l'amour, surtout, qui était lent à partir. On nous mentait, Apollinaire le premier, *passent les jours passent les semaines*, oui mais qu'est-ce que ça changeait, Guillaume, le temps ne me prenait rien, le temps au contraire ne faisait qu'additionner, du chagrin à la rage, de la rage au chagrin. Ma solitude était absolue. Aucun homme ne m'avait serrée contre lui depuis que celui-là avait choisi de me perdre pour toujours, de ne plus me chérir, de ne plus me protéger, de ne plus m'être fidèle dans le bonheur et dans les épreuves, dans la santé et dans la maladie, de ne plus m'aimer tous les jours de notre vie, de ne plus former avec moi une seule chair jusqu'à ce que la mort nous sépare.

Le bonheur avait existé, on me l'avait facturé au prix fort et j'aurais bien aimé savoir pourquoi. Certains jours, j'oubliais même jusqu'au souvenir de son relief, je n'éprouvais que son absence, il me manquait, même s'il m'avait coûté trop cher, j'étais ruinée. Il m'avait tout pris. Personne autour de moi ne s'en rendait compte, ni mes étudiants ni mes parents ni mes amis ni mes fils, surtout pas mes fils, ils ne distinguaient que les pièces détachées à la surface, émergées, flottant sur le grand canal. Dans l'art de sourire avec le cœur brisé, j'étais devenue experte, moi aussi. *Et comme l'espérance est violente.* J'étais sous la vase, je ne respirais plus. Répudiée, bafouée, et tous les jours il fallait affronter la stupeur de certains, que l'ignorance rendait cruels, non dénués de perversité, leurs questions, leurs remarques, leur impudeur, leur intrusion dans la douleur où moi-même je n'osais plus aller, quoi, vous êtes séparés ? Vous formiez pourtant un si beau couple, idéal. Et parce qu'ils me voyaient continuer de vivre, de nourrir mes garçons, de rire avec eux, parce qu'ils me voyaient toujours debout, tous pensaient que c'était moi qui étais partie. Ils supposaient que j'avais un amant, peut-être plusieurs. Le sexe est une ivresse comme une autre, encore meilleure qu'une autre car elle peut avoir la vertu de rehausser l'estime de soi toute ratatinée après une rupture et de consommer celle-ci, mais c'était sans doute précisément ce que je n'arrivais pas à faire, consommer.

Il y avait bien eu un jeune homme qui s'était enroulé autour de moi lors d'un week-end. J'avais été amusée d'abord, puis émue, et soudain je m'étais retrouvée dans ses bras, sur la piste d'une boîte de nuit. Je ne comprenais pas ce qui m'arrivait, les mains du jeune homme qui revenaient de plus en plus vite sur ma taille, m'empoignaient fermement, ses bras qui m'enveloppaient avec assurance, ses yeux qui criaient le désir et l'audace, moi, qui me trémoussais sur une musique à l'opposé de ce que j'aime, remuais les hanches, sortais la poitrine et baissais la tête pour ne pas croiser, et la relevais au contraire pour défier le regard du jeune homme qui me dévorait avec impudence. J'ai très bien compris ensuite ce qui m'arrivait, une fois la consternation passée, la surprise, l'effroi que produisaient en moi ces émotions que je retrouvais. J'ai eu peur et envie de sentir les mains du jeune homme sur ma peau. En même temps, j'aurais voulu lui signifier son effronterie, lui dire que je n'entrais pas dans son jeu, ne pouvais consentir, pour qui se prenait-il ce petit con, que croyait-il ? Mais mon corps brusquement se réveillait, se déployait. Mon corps, à cet instant précis sur la piste de danse, était plus puissant que moi. Ce n'était évidemment qu'un vertige passager, ce ne pouvait être que fugace, je n'étais pas dupe. C'était une faille profonde dans la nuit où il ne m'aurait pas déplu de tomber davantage encore, même si le lendemain tout serait fini, le sol lisse, sans trace du tremblement. Du fantasme, ce n'était que du fantasme. *Et comme l'espérance est violente.*

Le coach me regarde. C'est un coach avec du désir dedans. Je veux dire c'est un regard désirant, et il y a bien longtemps que personne n'a posé sur moi des yeux affamés à ce point. Je peux bien l'avouer sans préciser l'âge que j'ai, puisqu'il est tard, c'est la nuit, personne ne me contemple ni ne me condamne du doigt au bûcher, nul ne sait le mal qui me ronge. Les filles à l'agence ont des soupçons. Je les entends émettre des hypothèses, émouvantes car elles sont la palpitation d'une histoire, du besoin de s'inventer des vies parallèles, de percer une voie secondaire non loin de la route principale qui conduit au néant. Putain de merde, on nous a bien trompés quand même, et quand je dis ça, je n'ai jamais été une petite fille qui croyait au baiser du prince à la fin. Avec l'enfance que j'ai eue, j'ai toujours pressenti qu'il arriverait trop tard, mon prince, une fois que je serais morte. Ce qui m'a détruite, moi, c'est l'espoir. Maintenant que j'ai renoncé à lui, je consens pour le coach. Je ne l'avais pas remarqué au début, c'est un type jeune, avec une barbe de quelques jours et des cheveux partout, comme ils ont tous maintenant. Il vient chez moi, dans le nouvel appartement où j'ai récemment emménagé, au cœur de ce quartier de la Macarena, si sympathique et désormais hors de prix, truffé de petits créateurs, à Séville, où Rocío habite aussi, deux rues plus bas.

Je m'appelle Lorca Horowitz. Il ne me semble pas inutile de le rappeler à ce stade, ainsi que cette envie de mourir qui me prend systématiquement, même si ça va mieux, quand je traverse en bus le pont de Triana au-dessus du Guadalquivir, en plein cœur de la ville, face aux arènes. En début d'après-midi, un peu avant quinze heures. Une sorte de nausée, de trop-plein. Je préfère ne pas m'appesantir sur ce sujet, j'ai toujours éprouvé une violente aversion pour les geignards, du reste ce ne sont jamais eux qui se tuent. Je concéderai juste que le plus dur c'est le soir. La vérité, elle est là, c'est à cause du soir que j'ai décidé de prendre un amant, pour l'objectif qu'il représente, la lucarne dans le noir. Il y en a qui écrivent la nuit, on me l'a raconté, repoussant l'épuisement, les brumes de l'alcool, le désespoir qui tape plus fort à ces heures, fouillant jusque dans les retranchements insoupçonnés de leur endurance, ça les conserve intacts, comme dans de la glace, même quand ils subissent la pire des journées, ils gardent à l'horizon ce phare qui, s'il n'est en rien un aboutissement, constitue au moins un repère. Mais je ne sais pas nager dans les seules satisfactions de la pensée. L'écriture rend paraît-il la solitude envisageable, on dit qu'elle est une force qui s'autosuffit, qui avance comme un train dans la nuit. Bienheureux les écrivains. En ce qui me concerne, je vais prendre un amant.

Pour l'ameublement de l'appartement, j'ai fait appel à un décorateur professionnel, je n'ai aucun goût pour ces choses-là, nulle patience. J'ai dit au type de faire comme dans les magazines à la seule condition que ce soit du Pablo de Valladolid du sol au plafond, total look j'ai cru bon de préciser. C'est fou comme l'humour est immédiatement suspect dans la relation hiérarchique, a fortiori venant d'une femme. L'homme a eu un regard fugace dans lequel j'ai surpris un sentiment que j'identifie très bien désormais parce que je le détecte de plus en plus vite chez mes interlocuteurs. Avant il y avait un délai, une période de grâce et de doute, désormais c'est presque immédiat, on entre directement dans le vif du sujet, puis on baisse les yeux. La peur. Les gens se décomposent face à moi, perdent leurs moyens. Ils soupçonnent une forêt trouble, une eau touffue, ou l'inverse et je m'en fous, mais détectent dans le même temps qu'ils ne possèdent ni le code de déchiffrage, ni le gilet pare-balles qui leur semble brusquement nécessaire en ma présence, du moins à une certaine distance.

Mes collègues de bureau, par exemple, osent à peine susurrer entre elles. Et encore, c'est quand elles me croient hors champ, neutralisée.

– Je pense que... C'est tellement fou que je n'arrive pas à en parler, j'en tremble.

– Vas-y.

– Je t'assure, Pilar, je n'en dors plus la nuit. Il faudrait mener une enquête.

– Dis.

– Le mari, le beau croque-mort avec qui elle vit une folle histoire d'amour depuis douze ans, je pense qu'il n'est pas parti avec une femme.

– Avec un homme, alors ?

Ricanement forcé, teinté d'une trouille qui ne se dissimule plus. Elles sont bleues, elles rongent leurs ongles. Leurs aisselles puent dès le matin la désolation et l'envie.

– Je crois qu'il n'est pas parti du tout.

– María, tu ne sous-entends pas qu'elle l'aurait... assassiné ?

– Il n'existe pas. Il n'a jamais existé.

Depuis que Rocío est malade, je suis devenue la secrétaire particulière d'Eduardo. Ma mère est tellement contente de ma promotion qu'elle verse sa petite larme. Elle a toujours été très sensible, ma mère, elle débordait à la moindre averse, il ne fallait rien construire à côté, la zone était inondable. Dans la rue, sur le chemin pour venir la voir, j'ai failli tomber. Le talon de ma chaussure gauche n'a pas suivi le mouvement de ma jambe, étrangement, il est resté sur le trottoir au moment où j'ai voulu traverser. Mon pied s'est retrouvé dans le vide un instant suspendu, déséquilibré, un moment de vertige où il ne m'a plus été possible de revenir en arrière alors que je l'aurais tant voulu au fond de moi, je le sentais, effacer tout ce que j'ai subi et tout ce que j'ai fait, les actes et les choix qui m'ont menée jusqu'à cet endroit de ma vie, je veux dire de l'asphalte sévillan, demander pardon et prendre une autre voie, recommencer, réapprendre à marcher, un fantasme vieux comme l'humanité qui a toujours su qu'il n'était pas réalisable. Mais l'ignorance et les erreurs aussi se répètent à travers l'histoire. J'ai été obligée d'avancer malgré moi et je me demande comment je ne me suis pas foulé la cheville. Je n'ai pas l'habitude de si hauts talons.

Ma mère trouve pourtant que je les porte bien. La nudité totale de mon corps ferme et plein souligne davantage encore le tracé de mes escarpins, je viens juste de me faire refaire les seins, je la devine pas peu fière. Elle n'a jamais eu d'avis autonome, la douce biche, elle adhère au jugement dominant, pour ne pas faire de vagues. Toute sa vie elle eu peur de déranger et aura passé ses jours à écrire dans la marge, cette colonne étriquée où on se contente de prendre des notes au crayon de papier, avec des abréviations, des signes typographiques, effaçables, sans engagement. Mais elle se réjouit pour moi, avec la sincérité et la vraie empathie dont elle a toujours su faire preuve. C'est un beau poste, elle n'en revient pas dc la vitesse à laquelle j'ai gravi les échelons, quand elle pense au peu de formation et d'expérience que j'avais, sans parler de ma poitrine avant, qui n'était pas repoussante mais participait de l'affaissement général et marquait mal quand on a des charges comme les miennes, ou de mon cul en forme de poire, même s'il y a des hommes qui les préfèrent à ceux en forme de pomme. C'est incroyable, rit ma mère, et elle tape dans ses mains comme une petite fille.

Tu gagnes bien ta vie maintenant, hein, ça se voit, je vais pouvoir dire aux voisins que tu as réussi, que tu roules dans une voiture de torero, ça vaut combien un machin comme ça ? Que tu dînes dans des restaurants où la carte est en anglais. Préviens-moi si un jour tu passes à la télé. Encore une fois c'est pour les voisins que je dis ça, ils seront impressionnés, nous témoigneront du respect, les gens ont besoin d'idoles. La vérité c'est que moi j'aurais plutôt besoin de tendresse, de contact, qu'un être me touche, mais faites comme vous voulez, Julián et toi, si vous ne désirez pas d'enfant à cause des contraintes que ça représente, des nuits sans sommeil, du ventre qui plisse, je m'en occuperai, moi, de l'enfant, beaucoup, tous les jours même. Si à la fin de mon existence il me reste dans les bras un bébé à serrer je n'aurai pas tout raté, j'aime beaucoup les bébés, j'en aurais bien eu quatre ou cinq si la vie avait été moins radine avec moi. Ma fille Lorca, secrétaire particulière chez Perales Architectes, c'est un miracle.

Mais l'enthousiasme d'une mère ne doit pas être pris au pied de la lettre, c'est une formule. Les prodiges n'existent pas plus qu'elle, désormais. Elle ne saura pas pour le grand bureau que je vais bientôt posséder, avec azulejos à motifs hispano-mauresques, hauteur sous plafond et fauteuil direction, finitions merisier, style Ménines. Pour Julián non plus. C'est terminé, je ne souffrirai plus pour lui et suis déterminée, cette fois, à tenir bon. Il faut se rendre à l'évidence, même si j'ai encore un mal de chien à l'admettre parce que j'ai toujours eu le cuir tendre, Julián n'est plus au niveau d'une femme de mon calibre. L'a-t-il été un jour ? Cette question me blesse et me broie, je n'y répondrai pas. La certitude, c'est que nos évolutions n'ont pas suivi de mouvement parallèle et la mienne a enclenché la vitesse supérieure. Pour mon malheur, je l'aime toujours, car l'amour est sans doute des sentiments le plus difficile à contrôler, et les femmes supérieures s'attachent souvent de manière incompréhensible à des êtres qui ne leur arrivent pas à la cheville et les font souffrir par complexe et dépit. L'amour est stupidement aléatoire, contrairement à l'estime, pur produit de la volonté.

J'aime encore Julián et le méprise, je peux au moins décider cela. Chacun des mots qu'il n'a pas prononcés, chacune des explications qu'il ne m'a pas données, chaque geste qu'il n'a pas esquissé pour exprimer des regrets, me demander grâce, montrer sa volonté de lutter pour notre histoire, unique et somptueuse, avouer ses mensonges, constituent de petites boules de pus, répugnantes, qu'il faudra bien écraser un jour. C'est pourquoi je respecte de plus en plus les êtres impeccables dans leur apparence ou leur détermination, le coach par exemple. Son regard est remarquable parce qu'il n'a pas peur. Le coach peut constituer un divertissement réparateur. Les relations ancillaires ne sont pas interdites, elles sont même vivement encouragées parmi les élites, qui vivent à un rythme éreintant et portent au quotidien de si lourdes responsabilités, pour relâcher la pression.

Le désir qu'un homme éprouve pour moi me fait perdre tous mes moyens. Je reconnais qu'il me foudroie. À l'instant précis où je surprends une rupture dans son regard officiel, une variation clandestine sur le dessin de ses lèvres, gourmand et déjà presque éprouvant, la douleur se prépare, elle déferlera avec le manque, la dépendance, même si on la chérit au début, on la ravive car on redoute que son extinction ne cause celle du sentiment qui la fait battre, à l'instant où tout doute s'estompe et que j'ai la certitude qu'un homme me désire, un homme dont je découvre alors qu'il pourrait me plaire et me ravir, et tenter de me soumettre, je ne suis plus moi-même. Ou alors je suis vraiment moi, pour une fois.

C'était finalement cette question qui était au cœur de l'affaire Horowitz, et la raison peut-être la plus souterraine pour laquelle elle m'obsédait. Pas tant la question de l'usurpation d'identité, qui est un acte relativement fréquent, sous différentes formes plus ou moins graves, et condamné par le Code pénal, que celle de l'identité tout court. De la révélation de soi. Elle était posée en creux dans tous les livres que j'avais mis au programme de mon cours, qui es-tu toi qui as fait cette chose atroce, inconcevable pour quelqu'un d'équilibré, sain de corps et d'esprit comme moi, et qui suis-je donc alors qui m'intéresse à toi ? Suis-je un monstre moi aussi ? Elle était à la base de chaque fait divers, comme de chaque histoire d'amour. Si l'amour démasquait les êtres, le crime aussi. Par conséquent la vraie Lorca Horowitz n'était pas la grosse fille brune qui dansait parmi les pauvres sur le campo de feria de Séville, mais la bourgeoise blonde qui avait sciemment planifié l'élimination de sa patronne et s'envoyait en l'air avec son coach sportif. C'est pourquoi personne n'avait eu de soupçons, personne même ne s'était interrogé sur ce prénom invraisemblable, Lorca, qui n'existait pas en espagnol, et à mon avis dans aucune langue du monde, renvoyait évidemment au poète que j'aimais tant, Federico García Lorca, et me faisait malgré moi penser à l'adjectif «loca», qui veut dire «folle». Quant à son patronyme, très fréquent chez les Juifs d'Europe de l'Est, et que les mélomanes du monde entier associaient au célèbre pianiste ukrainien, Vladimir Horowitz, on voyait encore moins ce qu'il venait faire là, en Andalousie. Je n'avais pas lu la moindre petite allusion à d'éventuelles origines ashkénazes de l'étrange secrétaire, ni à quoi que ce soit en rapport avec son nom. Aucun questionnement. C'était tellement énorme qu'ils avaient tout avalé, en bloc.

La vérité leur avait crevé les yeux à tous. À part Rocío Perales qui avait vu, trop tard pour donner l'alerte, ce qu'elle ne devait pas voir et qui l'avait condamnée. Sur le papier c'était pourtant bien elle, Rocío Perales, la victime, aucun doute possible, mais je n'arrivais toujours pas à ressentir d'empathie à son égard ni à me débarrasser de la première impression, désagréable, que j'avais cue en découvrant sa photo. L'impression que c'était elle la méchante, la tueuse, et qu'elle n'était pas du tout la sacrifiée de l'histoire. Cela me troublait, même si c'était dans une certaine logique ou tradition littéraire, à laquelle n'échappaient pas les grands écrivains que je faisais étudier à mes élèves, qui veut qu'on se captive bien plus pour les assassins que pour les assassinés, à qui on attribue moins de mystère et simplement la déveine de s'être trouvés au mauvais moment au mauvais endroit, bref un rôle passif sur toute la ligne. J'avais pourtant essayé de me représenter Rocío Perales un peu comme Bette Davis, que j'ai toujours préférée à Anne Baxter dans *All About Eve*, hautaine, sûre d'elle et méprisante au début, faussement généreuse, perdant le pouvoir peu à peu, incapable d'enrayer sa chute, fascinante en dépit de tout. Mais dans le film Margo était une femme vieillissante et Eve une toute jeune actrice ambitieuse qui se servait d'elle pour parvenir à ses fins, alors que Lorca Horowitz n'était pas une débutante, elle devait avoir environ le même âge que la directrice du cabinet d'architectes. D'après les photos, du moins, puisque je n'avais trouvé nulle part la date de naissance de l'une et de l'autre. Lorca Horowitz n'était pas Eve, elle n'avait manipulé personne, pris la place de personne. Elle avait fusionné avec Rocío Perales, l'avait absorbée.

Elle aurait pu être un des personnages de ces films de superhéros américains que mes fils tenaient tant à voir au cinéma et qui me rassasiaient en effets spéciaux pour des semaines, un être nouveau à la suite de multiples opérations, «optimisé», doué entre autres du pouvoir de contrôle mental. L'air de rien, pimpante et douce, elle s'approchait de vous par-derrière et pénétrait dans votre cerveau. Elle devenait vous. Hommes, femmes, nul n'avait la capacité de lui résister. Et depuis que je me penchais sur son cas, j'avais le sentiment que l'étrange secrétaire m'absorbait à mon tour, s'appropriait le chagrin et la colère qui me rongeaient alors, décidait de mes désirs, jusqu'à puiser dans mes plus bas instincts. Étais-je Lorca Horowitz ?

Le coach a vingt et un ans. Il s'est montré très performant au moment de l'accouplement et très satisfait ensuite, il s'appelle David. Il n'a pas du tout failli, ni dans la résolution ni dans la durée. C'est un garçon qui ne se dit jamais, à aucune heure de la journée ou de la nuit, que son existence est absurde et qu'il aurait éventuellement pu être quelqu'un d'autre, s'agiter et se trouver légitime dans un domaine différent, c'est à peine croyable mais vrai pourtant. Il ne se pose pas ce genre de questions, ce qui le rend bienheureux, sûr de lui et lui octroie une certaine forme d'irrévérence.

— Je me suis demandé quand tu allais remarquer que j'avais envie de toi. J'ai d'abord cru que tu faisais semblant de ne pas le voir, comme vous faites toutes. Après j'ai eu un doute. Soit je ne lui plais pas, soit elle n'a vraiment pas l'habitude.

Je lui serai éternellement reconnaissante de m'avoir déliée du corps de Julián, ce qu'il ignorera toujours, de m'avoir déshabillée sans délicatesse et prise d'égal à égale, avec une application consciencieuse bien que sans effort apparent, comme s'il s'agissait d'un exercice inhérent à la séance de fitness, ôtant toute sacralité à l'événement, me redonnant soudain la direction de mes années. Même si c'est précisément cette absence de déférence qu'il est indispensable de recadrer dès le départ.

Je n'aime pas les jeunes gens, en général.

Il est de mon devoir de remettre d'emblée un peu de hiérarchie là-dedans, de faire en sorte que cet abandon ne soit pas compris par le coach comme un moment d'égarement, une faiblesse de ma part, mais un choix assumé, voire prémédité, une étendue de mon pouvoir sur son territoire, pas l'inverse. Le coach David, qui de toute façon n'interprète rien et ne connaît de ses désirs que leur assouvissement immédiat, de ses émotions que leur expression instantanée, ne devra jamais se souvenir que j'ai tremblé quand sa main s'est avancée vers moi, quand elle a franchi la ligne qu'aucun être humain n'avait traversée depuis Julián. Il ne saura pas qu'il a été l'instrument de ma transgression, en rien l'instigateur, et que je l'ai laissé faire pour qu'il accomplisse son devoir. Il n'a pas vu que j'ai pleuré quand une partie de son corps est entrée dans le mien, parce qu'à cet instant j'ai vu défiler toute ma vie. On prétend souvent que ce phénomène se produit quand on meurt, ce que je ne peux affirmer car je ne suis encore jamais morte. En revanche je soutiens que ça arrive au moment précis de la pénétration, que j'ai connue plusieurs fois et qui est la plus belle scène de l'acte amoureux, pour moi en tout cas.

J'ai vu défiler ma vie, et il m'a semblé que Julián apparaissait sur presque chaque image, y compris celles de l'enfance, quand je passais des heures à la fenêtre de ma chambre à redessiner le décor que j'avais sous les yeux, effaçant le lotissement avec ses pavillons ouvriers, cette épouvantable chaleur, inventant un paysage de palmiers et de sable blanc avec une brise douce et fraîche, comme j'en apercevais parfois sur la couverture des magazines qui traînaient dans la salle d'attente du docteur ou du coiffeur, et que ma mère m'interdisait de feuilleter. Dans ce paysage, la lumière ne faiblissait pas et j'avais parfaitement ma place, sans transpiration. Je vivais des amours tourmentées, en digne héroïne, avec beaucoup d'amants, hommes somptueux et crapules qui me rendaient malheureuse, et Julián peut-être s'est immiscé parmi eux. Julián est une projection de mon esprit, car à cette époque, c'est sûr, j'étais seule au monde et du plus loin que je regardais dehors je me heurtais à la chaux du mur des voisins d'en face. Mais quand je les rayais de la carte, eux et leur plastique, chaises de jardin, piscine hors sol, Rois mages et Enfant Jésus, quand je n'étais plus ni grosse ni brune, ne connaissais plus aucune limite et prenais le contrôle sur les éléments, mon existence était hors du commun.

Le coach, la première fois, a refusé tout net l'argent que je lui tendais. Il a fait l'offusqué.

– Ça me vexe que tu puisses penser que je t'ai baisée pour ton fric.

Ce sont ses mots exactement, je me contente de retranscrire dans un souci de fidélité, compte tenu du poste que j'occupe désormais ce n'est pas mon registre de langage. Je ne me suis jamais exprimée ainsi de toute façon, même du temps où j'étais pauvre, ma mère m'aurait giflée, c'est ça la dignité. Elle me battait quand j'étais petite et que je lui répondais mal, me montrais insolente avec elle, cherchant à la blesser, parce qu'elle était la seule personne que je pouvais meurtrir, sur qui j'avais, non pas le droit, mais l'occasion de passer mes nerfs. Peut-être serait-elle encore capable de le faire, de s'accrocher aux accords grammaticaux, parmi ses repères anciens, les seuls qui n'auraient pas volé en éclats ? Pour cette raison, je suis toujours très attentive aux mots que j'emploie quand je m'adresse à elle, le dimanche, je veille à être parfaitement épilée. On ne peut pas savoir, si elle réagissait. Il y a des gens qui reviennent de tout, à part mon père, des malades en état végétatif depuis des années qui s'éveillent un jour pour réclamer leur place dans un monde qui l'a déjà repassée à quelqu'un d'autre.

David, c'est ainsi qu'il se nomme, renfile son survêtement, prêt à partir, sans doute pour une nouvelle séance de fitness à domicile chez une amie de la duchesse d'Albe. Je prends garde de ne pas remettre la tenue de sport dans laquelle il m'a toujours vue jusqu'à ce jour, et après lui avoir demandé de m'attendre un instant je parais devant lui en tailleur haute couture, maquillée, coiffée, bijoutée, avec talons et accessoires. Je fais mine de chercher dans mon sac à main avant de sortir une liasse de billets dont la vue déclenche la phrase qu'on sait.

C'est moi qui serai vexée que tu n'acceptes pas. Tout travail mérite salaire et tu as bien travaillé aujourd'hui, David. Je te paierai chaque fois, et de plus en plus, si je suis satisfaite de tes services. Réfléchis. J'ai beaucoup d'argent, David, beaucoup.

Tutoiement et débit pressé, glacial, ma Porsche m'attend. Il part sans prendre les billets, il a pâli. Intéressant d'observer combien de temps vont tenir ses principes.

J'achète une Mercedes CLS, pour alterner avec la Porsche. Je pense qu'elle correspond mieux à Eduardo, qui est plus classique dans ses goûts et moins audacieux que le jeune David. Je l'ai déjà souligné mais les hommes ne changent jamais, surtout quand ils sont arrivés au point où se trouve Perales, qui lui de surcroît n'est jamais parti. Ce que je dis a du sens, il ne faut pas s'y tromper, ni exclure de lire mes phrases dans un ordre plus anarchique, je suis pour la liberté de ne pas penser, si elle existe. Fermer les écoutilles, rester sur le bas-côté du monde, la bande d'arrêt d'urgence, aussi longtemps qu'il est nécessaire pour se réparer. On peut avoir l'impression que je perds le fil, à cause de cet argent qui me monte à la tête, la vie facile et opulente, et c'est vrai, j'ai un peu de mal à m'habituer. Contrairement aux idées reçues je crois qu'on se fait plus vite au déclassement parce qu'on n'a pas le choix et qu'il faut se retrousser les manches pour tenir debout, qu'au train luxueux dans lequel je suis montée alors qu'il roulait déjà à bonne vitesse, mais je n'oblige personne à me suivre, ni à me croire.

Je prends aussi une Lexus, parce que je me dis que ça plaira au petit coach qui ne tarde pas à revenir, c'est le genre de modèle qui le fait fantasmer, plus sport et vulgaire.

Il m'envoie un message le lendemain de cette séance de fitness qui avait commencé comme toutes les autres sur un tapis de sol dans mon salon mais avait débordé jusque dans mon lit, pour des raisons de confort personnel, dans le souci de ménager différentes parties de mon corps et notamment mon dos auquel, maintenant qu'il vaut ce qu'il vaut, je tiens plus qu'à ma libido. C'est un message impersonnel, « le prochain cours est-il maintenu comme prévu ? », comme si ça n'allait pas de soi bien qu'il ne fasse aucune allusion à ce qui s'est passé entre nous, à ma peau soyeuse, à mon haleine de rose, mon odeur d'ambre et autres figures de style carrément crétines mais qu'on aime bien quand on couche avec quelqu'un. Pourtant je ne peux pas reprocher au petit coach de ne pas avoir le pouvoir des mots, ce n'est pas sa fonction dans cette histoire.

Nous avions alors un rythme de deux soirs par semaine, et je patiente plus de vingt-quatre heures avant de lui répondre. Il feignait de me laisser le choix de décider, alors qu'il se rendait déjà, abdiquant sans négociation, étouffant son honneur en même temps que ses scrupules, plein de désir pour cette région de richesses entrevues où, sur la grande carte des répartitions, il n'était pas censé poser un jour ses pions. L'angoisse est un corrosif puissant.

J'attends qu'elle use David jusqu'à ce qu'il n'en puisse plus, qu'il s'érode tout seul dans son studio une soirée entière, qu'il épuise son périmètre jusqu'au dernier recoin. Chaque minute qui s'écoule le rapproche de la conscience qu'il vient peut-être de rater la grande chance de sa vie, celle qui n'apparaît qu'une fois, et encore, pas pour tout le monde.

Le matin suivant il m'adresse à nouveau le même texto avec une question en introduction, « Lorca, as-tu eu mon message hier ? » Je suis heureuse comme une gamine parce qu'il a écrit mon prénom, chose très importante pour moi, fondatrice, parce que je m'appelle Lorca Horowitz et je voudrais bien que l'on ne l'oublie pas, ni ici, ni ailleurs. Je laisse encore passer quelques heures, un peu par calcul mais surtout à cause des responsabilités professionnelles qui sont les miennes et font que je ne suis pas non plus à la disposition d'un coach de vingt et un ans, qui a déjà prouvé son endurance et pas tout à fait encore son sens de la docilité. À la fin de la journée, je l'informe que je bois une coupe au Parador de Carmona. Il s'agit d'un ordre, ce que David comprend très bien, dans la limite de son vocabulaire et, terrifié déjà à l'idée de me perdre, il rapplique quelques minutes plus tard, le temps d'arriver sur son scooter.

– Tu fais quoi exactement comme métier ? Tu es dans la finance, les affaires ? C'est quoi ton business ? Ça a l'air de bien marcher pour toi.

Je dirige une agence avec mon mari. Perales Architectes. Tu as dû en entendre parler, on a eu un prix à Barcelone cette année. Oui, ça marche bien pour moi, je n'ai pas à me plaindre.

Quand Rocío Perales était revenue au cabinet après sa cure de repos, elle n'avait pas supporté les tailleurs, sans cesse renouvelés, qui épousaient le corps parfait de Lorca Horowitz. Elle n'avait pas supporté ses innombrables escarpins, sa blondeur, son carré plongeant, sa manucure, son maquillage, son vernis à ongles, ses bijoux, ses éventails, ses voitures, ses tics de langage, la façon dont la secrétaire particulière de son époux se tenait au bord de son fauteuil de bureau, une fesse dans le vide, jambes croisées. Elle n'avait même pas essayé de s'en cacher, s'écartait quand elle voyait arriver au loin la fine silhouette qui faisait ployer les têtes sur son passage. La possibilité d'évolution figurait pourtant dans le contrat d'embauche d'Horowitz, mais il faut croire que pour la Perales il s'agissait d'une clause purement théorique. En aucun cas elle n'avait envisagé un tel épanouissement chez une comptable qu'elle avait pourtant pris garde de choisir bien terne, presque repoussante, malgré toutes les valeurs qu'elle n'avait jamais manqué de brandir à la moindre injustice et son sens légendaire du partage, de la transmission, Rocío la militante, l'engagée, en tête de toutes les pétitions, manifestations et rassemblements en faveur de l'égalité des chances.

Quand elle était revenue de sa première dépression, le monde avait donc continué sans elle, c'est l'usage, l'amnésie est nécessaire à la paix sociale. Il s'était même très bien accommodé de son absence, le monde, et le retour de Rocío Perales n'avait produit aucune vague, n'avait pas suscité le moindre commentaire. Tout le monde avait fait comme si elle rentrait de vacances, sujet généralement balayé en deux ou trois phrases devant la machine à café avant de passer à autre chose et de reprendre le travail. D'autant que dans son cas il y avait une gêne certaine, soup-çonneuse, comme si la Perales était rentrée d'un séjour de luxe *all included* dans un pays très lointain, très pauvre et très corrompu, avec palace, ségrégation raciale et plage privée pour étrangers, protégée des autochtones par des bar-rières derrière lesquelles s'agglutinent des enfants morts de faim avant d'être chassés par l'armée locale parce qu'ils gâchent la vue des touristes.

C'était le mois de juin. Les fêtes de Printemps étaient déjà loin derrière, l'ennui, la chaleur et les horaires d'été s'étaient installés pour des mois. Il s'en était passé des choses pendant cette période où on l'avait tenue à l'écart des affaires, où ses nombreuses relations avaient été prévenues qu'il ne fallait pas la déranger, la laisser se reposer, impérativement. Lorca Horowitz avait beaucoup insisté auprès de tous, sous-entendant à demi-mot que cet arrêt maladie dissimulait une raison plus grave qu'il n'y paraissait, pobre Rocío, qué pena, une femme si équilibrée. Puis elle se reprenait, à nouveau maîtresse d'elle-même, non je ne peux rien dire pardonnez-moi, c'est à cause du choc, l'émotion qui déborde, mais nous restons confiants, aujourd'hui la psychanalyse obtient des résultats y compris dans les cas où l'espoir est infime, nous vous tiendrons informés. Et ils obéissaient si bien qu'en moins d'une semaine, le téléphone de la Perales avait complètement arrêté de sonner. Ils s'étaient tous abstenus assez vite, pour son bien, de prendre de ses nouvelles.

Eduardo était le seul qui la reliait encore au cabinet, mais lui aussi avait eu pour consigne pendant cette période de protéger au maximum sa moins tendre et moins chère de tout ce qui était susceptible de la perturber, de lui causer des angoisses professionnelles, qu'elle n'aurait pu apaiser dans l'immédiat puisqu'elle n'avait plus les outils adéquats. Dangereuses angoisses pour une personnalité fragile et malade comme la sienne, pour laquelle il était prudent de maintenir un diagnostic réservé, ainsi que sa secrétaire particulière lui avait longuement expliqué, avec les mots qu'il fallait pour le cerveau obtus d'Eduardo, sur lequel il avait été tellement facile de prendre l'ascendant. Le pauvre bichon était tout perdu sans sa femme, il avait l'autonomie d'une vieille batterie. Elle imitait si bien sa signature que n'importe quel expert aurait eu bien du mal à identifier, parmi tous les documents officiels envoyés par Perales Architectes depuis des années, factures, contrats, notes de frais, devis de sol, lesquels étaient authentiques et lesquels avaient été magnifiquement contrefaits.

Quand elle était revenue, Rocío Perales avait découvert que plus une seule décision concernant l'agence n'était prise désormais sans l'autorisation expresse de Lorca Horowitz. Elle avait observé la reddition de Pilar et María del Mar, repliées derrière leurs bureaux, frissonnantes de peur, le consentement d'Eduardo, le lâche. Et elle avait compris que si elle se plaignait à son mari ou à quiconque d'autre, si elle accusait la secrétaire de chercher à l'évincer depuis des années pour lui prendre sa place, non seulement on lui rétorquerait que grâce à elle le cabinet avait renouvelé son image et connaissait depuis quelque temps une réussite inédite, attirant de jeunes architectes prometteurs, mais on la prendrait définitivement pour une folle. Elle n'avait pas d'issue. Elle était enfermée dans une pièce capitonnée dont les murs se rapprochaient d'elle inexorablement. Elle pouvait hurler de toutes ses forces, personne ne l'entendrait. Il ne lui restait plus qu'à mourir.

Je m'arrange toujours pour être dans le bureau d'Eduardo, penchée au-dessus de son épaule, avec une tendre complicité, au moment où entre Rocío. C'est un tableau pas du tout sensuel en réalité mais suffisamment équivoque pour infecter ce qui reste de santé mentale à la señora, alors qu'en vérité je n'arrive à rien avec lui, sexuellement parlant, j'ai tout essayé. Sur les autres plans, il m'accorde une confiance naïve, pratiquement les pleins pouvoirs, nous avons aussi nos goûts communs, nos petits jardins à nous autres médiévistes amoureux des voitures de course, mais pas moyen de le faire déraper et prendre ma main dans la sienne comme l'osa Julián la première fois, en son temps, qui est bien loin maintenant et ne s'estompe pas malgré mes efforts, même quand nous sommes allés boire une coupe après le travail au bar du Parador,

Eduardo et moi, ce qui nous est arrivé deux fois en tout si mes comptes sont bons. Il est vrai aussi que l'Époux se fond bien mieux dans ce décor que le jeune David, jamais à l'aise avec le vrai champagne et plus adepte du tinto de verano, plus rafraîchissant sous nos latitudes.

L'Époux me correspond mieux en tous points, mais c'est un Eduardo en voie d'extinction, une espèce irrémédiablement fidèle à sa partenaire pour les siècles des siècles. Je ne comprends pas si c'est par conviction amoureuse ou par peur des représailles. C'est souvent lié. J'ai même envisagé un temps, avec un très grand manque de clairvoyance, que je n'étais peut-être pas son genre, avant de me souvenir que si, sans l'ombre d'un doute, ou alors c'est un homme marié depuis des années avec une femme qui ne l'est pas. La conclusion, c'est qu'Eduardo ne prendra jamais ma main avec des yeux suppliants au-dessus de la table sur laquelle reposent nos coupes et un bol d'olives huileuses tant que Rocío sera vivante.

Je traîne David dans les fincas et les palaces de la région, je le couvre de cadeaux, qu'il reçoit avec ce mélange de reconnaissance et de crainte que j'attends de lui. Je lui offre une montre de luxe et un téléphone portable dernière génération, l'emmène au théâtre, à la Maestranza et au

Lope de Vega. Car il est très bien vu au cours des déjeuners en ville de pouvoir évoquer les derniers spectacles vivants qu'on a aimés, ou pas, sans grand renfort d'arguments. Mais l'endurance du coach, qui n'est pas à remettre en cause dans le domaine qu'on sait, où il continue de me satisfaire avec une inventivité et une servilité que je rétribue grassement, résiste moins aux efforts non physiques. Je jouis de cela, de le rhabiller des pieds à la tête et de me montrer à son bras en public, je jouis de l'avoir à côté de moi dans ma loge, réprimant un bâillement, tenté de desserrer son nœud de cravate, tandis que je pose ma main sur son pantalon, le haut de sa cuisse, juste quelques secondes qui signifient tu ne bougeras pas, tu vas rester jusqu'au bout de ce spectacle qui nous ennuie à mourir toi et moi mais ici on meurt pour de faux et tu m'appartiens en version originale, tout ce que tu portes sur toi est à moi, tu es ma création.

Pour lui faire un peu plaisir quand même et afin de lui montrer que ma générosité peut être illimitée, car il est essentiel quand on soumet quelqu'un de relâcher parfois la bride pour la mieux tendre ensuite, j'obtiens des places pour un match qui affiche complet depuis longtemps, au stade de Wembley, à Londres, la finale d'une compétition très importante apparemment, je n'ai pas compris laquelle, où nous nous rendons dans un jet privé que j'ai loué pour l'occasion. Nous sommes dans une tribune d'honneur avec des gens célèbres, sur des sièges houssés, dans un carré VIP avec hôtesses et petits-fours. Le coach est à deux doigts de devenir fou.

– Tu n'as pas d'enfants ?

Je n'ai pas voulu d'enfants parce que je préfère l'argent. La prochaine fois qu'il y a un match ou n'importe quoi qui t'intéresse, dis-le-moi, tout est possible, ce n'est pas un problème dans la mesure où tu continues à être obéissant et performant. Par contre je ne veux plus aucune question désormais et, si ça ne t'ennuie pas, et même si ça t'ennuie, je t'appellerai Julián. Qu'est-ce que ça peut faire, un prénom ce n'est pas essentiel dans la vie, on a le droit d'en changer, moi en réalité c'est Rocío. Lorca, c'est un pseudo.

Dimanche, il faudra que je dise la vérité à ma mère. Ce n'est pas une décision facile à prendre parce que depuis l'enfance j'ai beaucoup ménagé ma mère, qui est un être très inadapté à la cruauté existentielle et à l'injustice. Une douce colombe qui se serait contentée d'un fauteuil près du brasero, avec points de croix sur les genoux tous les soirs de sa vie, la télé allumée en fond sonore, son mari et sa fille sur le canapé tout près, image pour elle de la félicité suprême. Même l'été, je souligne à cause du brasero, elle n'aspirait à rien d'autre contrairement à moi, toujours en quête, toujours en soif, et ses vœux au final n'auront pas été mieux exaucés que les miens. La vérité de chacun n'est pas forcément traduisible dans sa langue maternelle. Néanmoins je dois le faire, car il y a longtemps que je suis nue et il est tard, nous avons tous besoin de repos.

Voilà maman, je n'ai pas osé te l'apprendre avant car je sais que ça va te faire de la peine, mais les filles ne sont pas toujours là pour.protéger les mères, à un moment il faut bien qu'elles vivent de leurs propres ailes, qu'elles prennent le risque du grand plongeon et de la chute, de l'écrabouillement en bas sur le pavé gris, qu'elles volent leur vie, les mères. Enfin tu vois ce que je veux dire. Tout est fini avec Julián.

Tout est fini entre Julián et moi.

Julián et moi sommes séparés.

Julián m'a quittée.

Julián ne m'aime plus.

Julián est parti avec une autre femme.

Julián m'a abandonnée.

Je n'arrive pas à renoncer. Je n'arrive pas à oublier. J'ai tout donné à Julián. J'évite de passer près des fenêtres. Je ne prends plus le bus qui traverse le Guadalquivir. Je hurle dans le noir. J'aime Julián. Il n'y aura plus personne. Bizarrement mon cœur bat encore. Et je trouve en effet que l'espérance est violente, surtout quand on respire avec ses larmes et sa colère, quand on devient plus belle de jour en jour, et que rien ne diminue la fureur.

Voilà maman, je crois que tu seras très heureuse d'apprendre qu'Eduardo Perales m'a demandée en mariage. Il doit juste régler son divorce, ce qui exige un peu de temps à cause de la maladie de Rocío, tu sais qu'elle est arrêtée depuis des mois maintenant et les médecins ne sont pas très optimistes, elle a déjà fait trois tentatives de suicide. Mais nous sommes patients et discrets, Eduardo et moi, afin de ne pas accabler la pauvre femme, manquerait plus qu'elle meure, on passerait pour des monstres. Rassure-toi, je vais bien, j'ai déjà commandé ma robe. Blanche bien sûr, virginale, il y aura une bénédiction papale au Vatican.

Voilà maman, je vais m'absenter quelque temps, c'était pour te prévenir, que tu ne t'inquiètes pas de ne plus me voir le dimanche dans les semaines qui viennent. Nous partons à New York, je t'en avais parlé, nous délocalisons Perales Architectes en plein cœur de Manhattan, où nous allons vivre désormais, mais je reviendrai régulièrement te montrer mon corps américain et tu nous rejoindras bientôt, quand j'aurai fait installer une pièce médicalisée pour toi dans l'appartement avec les meilleurs spécialistes exclusivement consacrés à tes soins. Je me suis occupée de tout, le déménagement, l'inscription scolaire des enfants blonds, la domesticité, rappelle-toi qu'Eduardo est un rêveur, un poète, je l'adore mais il n'a aucun sens pratique et il dit souvent que sans moi il perdrait les règles de versification. Il dit chaque matin, j'ouvre les yeux et je vois ton visage, ton beau visage ensommeillé, mon amour, souvent ton corps est collé au mien comme si même la nuit nous ne pouvions nous dénouer, mais ta bouche est plus près encore, tes cheveux dorés, je voudrais contempler cette première image longtemps, tous les jours de ma vie, rien ne me comblera davantage sur terre, Rocío, ma Rocío chérie.

C'est un contrôle fiscal en 2012 qui, s'intéressant de près à la comptabilité de Perales
Architectes, a détecté plusieurs anomalies et
permis de remonter sans aucune difficulté
jusqu'à l'étrange secrétaire. Pourquoi cette
année et pas avant ? Comment Horowitz avait-
elle réussi à passer entre les mailles du filet
jusque-là ? Pourquoi personne n'était venu
fouiller pendant tout ce temps dans son cœur
en miettes ? Je n'avais pas trouvé d'explication
rationnelle à cette énigme et ne voyais pas qui
aurait pu m'en fournir une. Sans doute Lorca
Horowitz n'avait-elle pas imaginé tenir si longtemps. Au début elle avait même probablement
cru qu'elle se ferait vite pincer, que la douleur
la rattraperait avec une puissance à laquelle elle
serait incapable de faire face. Ensuite les jours
s'étaient succédé et on s'habitue à tout, on est

plus résistant qu'on ne le croie. C'est ce qu'on prétend, du moins. Une perquisition de son appartement avait été ordonnée, une fouille libidineuse entreprise. Des doigts d'hommes avaient plongé dans ses tiroirs de lingerie fine, dans ses penderies pleines jusqu'à la gueule de tenues à peine portées. Les hommes à qui appartenaient ces doigts avaient photographié les dizaines de paires de chaussures qui reposaient sur les étagères sur mesure de son dressing, ses trophées, ses chéris, exposés bientôt sous tous les angles dans les journaux en pleine page. Ce qui les avait conduits au grenier, aux cartons. Lorca Horowitz le savait. Elle avait tout préparé à leur intention. Bien emballé, étiqueté.

Ils avaient fait exactement le même chemin que moi, en sens inverse.

Alors ils avaient découvert une autre version d'elle, qui les avait glacés d'horreur et d'effroi, une vérité illisible pour eux. Ils n'avaient pas compris pourquoi l'étrange secrétaire avait conservé ce qu'ils estimaient être des preuves à charge au lieu de les détruire scrupuleusement, comme s'ils ignoraient que nos traces n'ont nul besoin de nous pour s'estomper, pour s'effacer seules, sans l'aide de personne et en très peu de temps, moins encore qu'il n'en faut à nos êtres chers pour nous oublier. C'était simple pourtant, si on laissait quelques cailloux derrière soi, des indices tangibles de sa présence, on diminuait le risque de n'avoir jamais existé, on compliquait le boulot des révisionnistes. On accordait aussi une dernière chance au retour de l'amour, comme un phare dans la nuit.

J'étais comme elle, je ne voulais pas disparaître totalement, pas si vite. J'écrivais. Ma vie telle qu'elle avait été ces dernières années était terminée. Qui serais-je la prochaine fois ?

Lorca Horowitz fut arrêtée. Son procès eut lieu début 2013 et occupa à nouveau en Espagne la rubrique des faits divers pendant plusieurs jours. Une comptable détourne 467 000 € à ses employeurs, ne reculant devant rien pour copier leur style de vie, voitures de luxe, traitements cosmétiques, vêtements haute couture, etc. Lorca Horowitz, quarante-trois ans, en instance de divorce, sans enfants, a escroqué pendant dix ans Eduardo et Rocío Perales, propriétaires d'une agence d'architectes à Carmona (Andalousie), actuellement proche du dépôt de bilan, imitant la signature de ses patrons, falsifiant des documents, à commencer par le diplôme de dactylographie et de comptabilité présenté lors de son entretien d'embauche, qu'elle n'a en réalité jamais obtenu. Horowitz ne s'est pas contentée de spolier sans scrupule ceux qui lui avaient donné du travail alors qu'elle était au chômage depuis des années, prétendant pour justifier son niveau de vie avoir hérité d'un vieil oncle de son mari, séparé d'elle depuis des années et qui s'est refusé à tout commentaire. Elle aurait aussi cherché à prendre la place de sa patronne, s'appropriant sa façon de s'habiller et ses habitudes de vie, fréquentant les mêmes endroits qu'elle, persécutant sans relâche Rocío Perales de cette manière insidieuse qui aurait fini par plonger celle-ci dans une grave dépression. Très affaiblie, cette dernière aurait déclaré «Je l'avais prise sous ma protection, elle me faisait de la peine, elle venait d'un milieu très modeste. Elle avait eu un parcours difficile, une enfance malheureuse, un père inconnu, une mère qu'elle adorait morte d'une longue maladie, elle était seule au monde. J'avais envie de lui donner sa chance et je l'ai accueillie chez nous, au cabinet, et aussi dans notre appartement, ma famille. Quand elle a commencé à m'imiter, je ne me suis pas du tout méfiée, je lui ai même donné des conseils, elle s'habillait si mal. À l'époque elle était brune et avait bien vingt-cinq kilos de plus, mais je n'aurais jamais cru qu'elle se métamorphoserait ainsi, et après, quand je me suis rendu compte de ce qu'elle voulait faire, pas me ressembler, non, ce n'est pas ça que voulait

Lorca Horowitz, c'était pire, alors j'ai eu peur, très peur, mais c'était trop tard. Personne ne me croyait, elle avait manipulé tout le monde contre moi, même mon mari. J'ai fait une dépression, puis une rechute juste après. Je ne sais pas jusqu'où elle serait allée. J'avais envie de me tuer à cause d'elle. C'était sans doute ce qu'elle aurait aimé, que je meure et qu'elle puisse définitivement atteindre son but : être moi ! »

Une perquisition au domicile d'Horowitz a révélé le train de vie démentiel que menait la secrétaire : plus de deux cents paires de chaussures de marque ont été trouvées, des accessoires et des tenues de grands couturiers, du matériel informatique et de l'électroménager dernier cri, ainsi que du mobilier époque Reddition de Breda. Horowitz avait aussi engagé pour plus de 150 000 € de travaux, comprenant entre autres la pose d'azulejos et l'installation d'une salle de fitness dans l'appartement luxueux qu'elle occupait depuis deux ans dans le quartier de la Macarena, à Séville, non loin de celui de Rocío Perales. Elle possédait cinq voitures de luxe et plusieurs comptes en banque. Ses collègues de bureau ont affirmé qu'elles la trouvaient « inquiétante, bizarre, comme l'est forcément quelqu'un qui devient millionnaire du jour au lendemain et perd un peu la tête ». Elles avouaient avoir même eu des doutes sur l'existence de son prétendu mari, mais pas une seconde elles n'avaient soupçonné que tout le reste n'était qu'un tissu de mensonges. Choquées, elles bénéficiaient actuellement d'un soutien psychologique, comme le coach privé d'Horowitz, âgé de vingt et un ans et qui souhaitait garder l'anonymat. Le jeune homme avait confessé que la comptable lui avait fait des avances insistantes à plusieurs reprises, lui offrant des cadeaux hors de prix qu'il aurait refusés, déclenchant la colère de celle qu'il prenait pour une directrice d'agence.

Vingt-cinq chefs d'accusation avaient été retenus contre l'étrange secrétaire, parmi lesquels vol et abus de confiance. Lorca Horowitz se présenta au tribunal dans cette petite robe noire très chic dont on apercevait les bretelles sur la deuxième photo qui m'avait tant frappée, parfaitement maquillée et coiffée, blonde. Elle ne nia rien, ne montra aucun regret. Elle ne dit pas un mot et, à mon avis, écouta assez peu le réquisitoire déchaîné que l'avocat des Perales déversa contre elle devant une salle acquise à sa cause et qui aurait bien envoyé l'accusée au bûcher, comme on le faisait à cet endroit quelques siècles plus tôt, et pas du tout la plaidoirie de son propre avocat. Elle n'obtint aucune relaxe et fut condamnée à quatre ans de prison ferme. D'après ce que j'avais lu, elle purgeait sa peine au centre pénitentiaire pour femmes de Huelva, un lieu de sinistre réputation. Même si j'allais sur place et finissais par obtenir les autorisations nécessaires, le temps que j'accomplisse les démarches pour arriver jusqu'à la détenue Lorca Horowitz, elle serait déjà sortie. De toute façon, elle ne me parlerait pas. Elle m'en avait déjà assez dit. J'en savais plus que n'importe qui. Juge, procureur, avocats, policiers, architectes, coach sportif, secrétaires, collègues, élite sévillane, journalistes, confréries religieuses, ex-mari, tous étaient demeurés à la surface des choses, ils n'avaient pas cherché à creuser, s'étaient contentés du palpable. Ils avaient eu peur de l'insondable. Ils étaient passés à côté de la passion qui révèle et qui broie.

C'était fini maintenant. Je devais quitter Séville une fois pour toutes, remettre les coquillages fossiles de Bolonia dans leur flacon. Plus personne ne trouverait Lorca Horowitz, ni dans sa cellule ni ailleurs, elle s'était dissoute, sa réalité n'était plus la mienne. Elle avait cru connaître le bonheur quelques années, une vie rêvée. J'avais tenté de lui donner une voix, de l'approcher au plus près. Qui pouvait nier sa vérité ? Vous avez de la chance, ma petite Lorca. Et peu importait s'il nous arrivait quelquefois encore de vibrer de désir elle et moi, si certains soirs nous tremblions toujours de chagrin et de rage, ça finirait bien par passer, comme le Guadalquivir, l'heure bleue et la nuit, ainsi que s'estomperaient les traces de nos amours et de nos crimes inassouvis.

Paris, 11 août 2015.

Cet ouvrage a été composé
par Maury à Malesherbes
et achevé d'imprimer en France
par CPI Bussière
à Saint-Amand-Montrond (Cher)
pour le compte des Éditions Stock
31, rue de Fleurus, 75006 Paris
en novembre 2015

Stock s'engage pour
l'environnement en réduisant
l'empreinte carbone de ses livres.
Celle de cet exemplaire est de :
650 g éq. CO_2
Rendez-vous sur
www.editions-stock-durable.fr

PAPIER À BASE DE
FIBRES CERTIFIÉES

Imprimé en France

Dépôt légal : janvier 2016
N° d'édition : 01 – N° d'impression : 2019536
51-51-3755/9